B02 (두 자리 수)+(두 자리 수) 목차

KB118790

B02권에서는 A04권에서 배운 (두 자리 수) + (한 자리 수)의 계산에 이어 (두 자리 수) + (두 자리 수)의 계산을 학습합니다.

보통 필산으로 계산할 때는 일의 자리부터 계산하지만 여기에서 배우는 (두 자리 수) + (두 자리 수)까지는 머리셈의 계산 원리를 이용하여 합이 100보다 작은 덧셈에서 합이 100보다 큰 덧셈으로, 받아올림이 없는 덧셈에서 받아올림이 있는 덧셈으로, 가로셈에서 세로셈으로 나누어 순차적으로 알아봅니다.

1일차 받아올림이 없는 덧셈	**2일차** 일의 자리 숫자의 합이 10
23+14= 37 합이 100보다 작고 받아올림이 없는 두 자리 수의 덧셈을 학습합니다.	23+17= 40 합이 100보다 작고 일의 자리 숫자의 합이 10인 두 자리 수의 덧셈을 학습합니다.

학습관리표

일 자			소요 시간	틀린 문항 수	확인
❶ 일차	월	일	:		
❷ 일차	월	일	:		
❸ 일차	월	일	:		
❹ 일차	월	일	:		
❺ 일차	월	일	:		

사고력을 키우는
팩토
연산

B02
(두 자리 수) + (두 자리 수)

 매스티안

구성과 특징

1주 연산 원리 학습

붙임 딱지 등의 활동으로
연산 원리를 재미있게 체득

2주 연산 응용 학습

연산 원리를 응용한 문제를
풀어 보며 문제해결력 신장

정답

 아이와 자연스럽게 학습을 시작할 수
있도록 스토리텔링 방식 도입

아이들이 배우는 연산 원리에 대한
학습가이드 제시

연산 실력 체크 진단 + 보충 온라인 보충 학습

2~4주차 사고력 연산을
학습하기 전에 연산 실력 체크

매스티안 홈페이지에서 제공하는
보충 학습으로 연산 원리 다지기

온라인 활동지

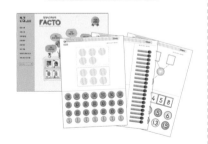

매스티안 홈페이지에서 제공하는
활동지로 사고력 연산 이해도 향상

4주 사고력 학습 2

연산 원리를 바탕으로 한 사고력 연산
문제를 풀어 보며 수학적 사고력과 창의력 향상

3주 사고력 학습 1

연산 원리를 바탕으로 한 사고력 연산
문제를 풀어 보며 수학적 사고력과 창의력 향상

· 3, 4주차 1일 학습 흐름 ·

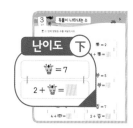  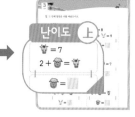 

특정 주제를 쉬운 문제부터 목표 문제까지 차근차근
학습할 수 있도록 설계 되어 있어 자기주도학습 가능

☆☆ App Game 팩토 연산 SPEED UP

앱스토어에서 무료로 다운받은
팩토 연산 SPEED UP으로 덧셈, 뺄셈,
곱셈, 나눗셈의 연산 속도와 정확성 향상

☆☆ 부록 칭찬 붙임 딱지, 상장

학습 동기 부여를 위한
칭찬 붙임 딱지와 연산왕 상장

사고력을 키우는 팩토 연산 시리즈

 P | 권장 학년 : 7세, 초1 |

권별	학습 주제	교과 연계
P01	10까지의 수	❶학년 **1**학기
P02	작은 수의 덧셈	❶학년 **1**학기
P03	작은 수의 뺄셈	❶학년 **1**학기
P04	작은 수의 덧셈과 뺄셈	❶학년 **1**학기
P05	50까지의 수	❶학년 **1**학기

 A | 권장 학년 : 초1, 초2 |

권별	학습 주제	교과 연계
A01	100까지의 수	❶학년 **2**학기
A02	덧셈구구	❶학년 **2**학기
A03	뺄셈구구	❶학년 **2**학기
A04	(두 자리 수)+(한 자리 수)	❷학년 **1**학기
A05	(두 자리 수)−(한 자리 수)	❷학년 **1**학기

 B | 권장 학년 : 초2, 초3 |

권별	학습 주제	교과 연계
B01	세 자리 수	❷학년 **1**학기
B02	(두 자리 수)+(두 자리 수)	❷학년 **1**학기
B03	(두 자리 수)−(두 자리 수)	❷학년 **1**학기
B04	곱셈구구	❷학년 **2**학기
B05	큰 수의 덧셈과 뺄셈	❸학년 **1**학기

 C | 권장 학년 : 초3, 초4 |

권별	학습 주제	교과 연계
C01	나눗셈구구	❸학년 **1**학기
C02	두 자리 수의 곱셈	❸학년 **2**학기
C03	혼합 계산	❹학년 **1**학기
C04	큰 수의 곱셈과 나눗셈	❹학년 **1**학기
C05	분수·소수의 덧셈과 뺄셈	❹학년 **1**학기

3일차	받아올림이 있는 덧셈
23+19= 42	합이 100보다 작고 일의 자리에서 받아올림이 있는 두 자리 수의 덧셈을 학습합니다.

4일차	합이 100보다 큰 덧셈
79+57= 136	합이 100보다 크고 일의 자리와 십의 자리에서 받아올림이 있는 두 자리 수의 덧셈을 학습합니다.

5일차	세로셈
5 4 + 8 8 1 4 2	두 자리 수의 덧셈을 세로 형식으로 익힙니다.

연산 실력 체크
1주차 학습에 이어 2, 3, 4주차 학습을 원활히 하기 위하여 연산 실력 체크를 합니다.   연습이 더 필요할 경우에는 매스티안 홈페이지의 보충 학습을 풀어 봅니다.

1 주

받아올림이 없는 덧셈

🌷 동전을 붙이며 덧셈을 하시오.

준비물 ▶ 붙임 딱지

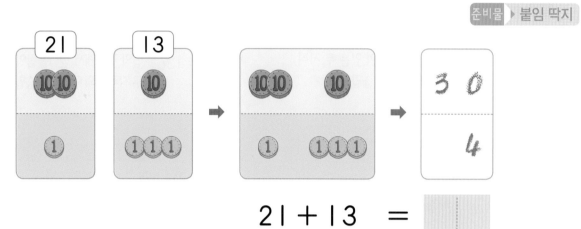

21 + 13 =

12 + 11 =

34 + 12 =

안에 알맞은 수를 써넣어 덧셈을 하시오.

○ 보기 ○

$30 + 20 = 5\ 0$
$5 + 4 = 9$
$35 + 24 = 5\ 9$

$20 + 10 = $
$3 + 2 = $
$23 + 12 = $

$10 + 40 = $
$2 + 1 = $
$12 + 41 = $

$50 + 30 = $
$2 + 5 = $
$52 + 35 = $

$40 + 20 = $
$5 + 1 = $
$45 + 21 = $

$20 + 70 = $
$6 + 2 = $
$26 + 72 = $

● '십의 자리 → 일의 자리' 순서로 계산하시오.

2+4

23 + 45 = 6   ➡   23 + 45 = 6 8

3+5

1+3

12 + 36 = 4

2+6

2+6

24 + 63 =

4+3

54 + 21 =

32 + 10 =

62 + 24 =

51 + 22 =

28 + 11 =

44 + 24 =

$27 + 32 =$

$31 + 44 =$

$53 + 12 =$

$16 + 11 =$

$14 + 22 =$

$13 + 60 =$

$80 + 11 =$

$46 + 43 =$

$72 + 13 =$

$43 + 25 =$

$15 + 33 =$

$14 + 31 =$

💡 덧셈을 하시오.

23 + 43 =   14 + 25 =

32 + 15 =   13 + 13 =

14 + 65 =   55 + 12 =

24 + 30 =   40 + 49 =

12 + 31 =   55 + 33 =

54 + 22 =   41 + 12 =

1
B02

34 + 31 =

62 + 22 =

52 + 46 =

11 + 30 =

25 + 14 =

31 + 56 =

33 + 22 =

51 + 18 =

62 + 21 =

14 + 22 =

23 + 56 =

42 + 15 =

2 일차

일의 자리 숫자의 합이 10

🌷 동전을 붙이며 덧셈을 하시오.

준비물 ▶ 붙임 딱지

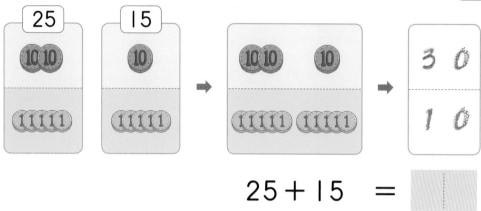

$$25 + 15 \; = \;$$

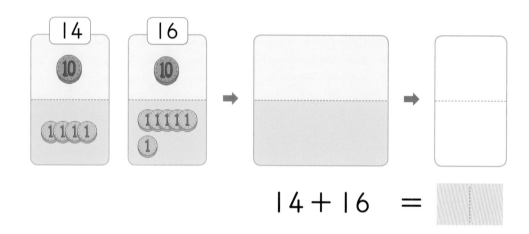

$$14 + 16 \; = \;$$

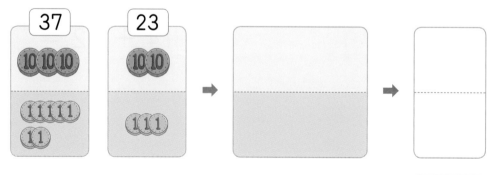

$$37 + 23 \; = \;$$

8 ▨ 안에 알맞은 수를 써넣어 덧셈을 하시오.

보기

20 + 10 = 3 0
6 + 4 = 1 0
26 + 14 = 4 0

20 + 30 =
5 + 5 =
25 + 35 =

10 + 30 =
8 + 2 =
18 + 32 =

30 + 40 =
3 + 7 =
33 + 47 =

40 + 20 =
1 + 9 =
41 + 29 =

50 + 30 =
4 + 6 =
54 + 36 =

♀ '십의 자리 → 일의 자리' 순서로 계산하시오.

$$2+3+\boxed{1}$$
$$26 + 34 \quad \Rightarrow \quad 26 + 34 = \boxed{6 \mid 0}$$

합이 $\boxed{10}$인 경우   일의 자리에 0

$$1+3+1$$
$$12 + 38 = \boxed{5 \mid }$$

$$1+2+1$$
$$19 + 21 = \boxed{}$$

$$54 + 26 = \boxed{}$$

$$32 + 18 = \boxed{}$$

$$15 + 15 = \boxed{}$$

$$52 + 18 = \boxed{}$$

$$46 + 14 = \boxed{}$$

$$27 + 63 = \boxed{}$$

27 + 43 =

49 + 11 =

56 + 34 =

15 + 15 =

13 + 47 =

62 + 18 =

31 + 49 =

26 + 24 =

18 + 22 =

37 + 43 =

25 + 45 =

41 + 49 =

❀ 덧셈을 하시오.

12 + 18 =

47 + 23 =

26 + 34 =

28 + 12 =

67 + 13 =

55 + 35 =

34 + 16 =

49 + 41 =

13 + 17 =

35 + 25 =

45 + 25 =

24 + 56 =

11 + 29 =

25 + 15 =

56 + 14 =

48 + 12 =

18 + 42 =

54 + 26 =

32 + 48 =

27 + 13 =

34 + 36 =

45 + 35 =

49 + 41 =

23 + 27 =

받아올림이 있는 덧셈

🌷 동전을 붙이며 덧셈을 하시오.

준비물 ▶ 붙임 딱지

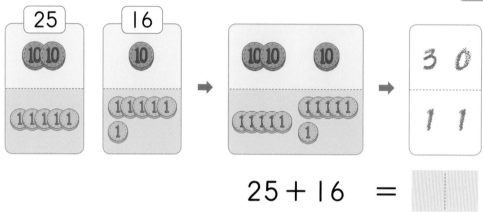

25 + 16 =

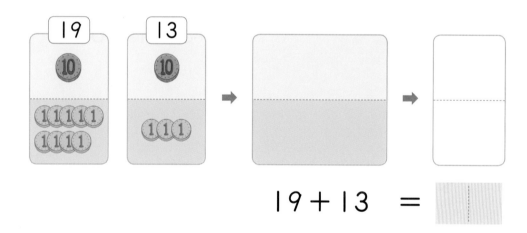

19 + 13 =

37 + 25 =

👧 안에 알맞은 수를 써넣어 덧셈을 하시오.

┌─ ○ 보기 ○ ─────────────┐

| 20 | + | 30 | = | 5 | 0 |
| 4 | + | 9 | = | 1 | 3 |

24 + 39 = 6 3

└──────────────────────┘

| 20 | + | 20 | = | | |
| 8 | + | 7 | = | | |

28 + 27 =

| 10 | + | 30 | = | | |
| 7 | + | 4 | = | | |

17 + 34 =

| 40 | + | 30 | = | | |
| 8 | + | 5 | = | | |

48 + 35 =

| 30 | + | 20 | = | | |
| 9 | + | 9 | = | | |

39 + 29 =

| 10 | + | 50 | = | | |
| 9 | + | 8 | = | | |

19 + 58 =

3 일차

👤 '십의 자리 → 일의 자리' 순서로 계산하시오.

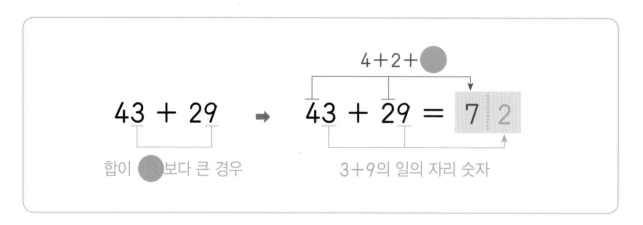

$$4+2+\bullet$$

$$43 + 29 \rightarrow 43 + 29 = \boxed{7\ 2}$$

합이 ⬤ 보다 큰 경우   3+9의 일의 자리 숫자

$$1+2+1$$

$$13 + 28 = \boxed{4\ \ }$$

3+8의 일의 자리 숫자

$$3+2+1$$

$$35 + 27 = \boxed{\ \ }$$

5+7의 일의 자리 숫자

$$25 + 39 = \boxed{\ \ }$$

$$18 + 16 = \boxed{\ \ }$$

$$27 + 28 = \boxed{\ \ }$$

$$49 + 34 = \boxed{\ \ }$$

$$59 + 32 = \boxed{\ \ }$$

$$56 + 36 = \boxed{\ \ }$$

74 + 17 = 　　　　　28 + 37 =

16 + 19 = 　　　　　43 + 39 =

56 + 38 = 　　　　　19 + 79 =

49 + 16 = 　　　　　18 + 29 =

27 + 47 = 　　　　　37 + 16 =

48 + 48 = 　　　　　29 + 47 =

♦ 덧셈을 하시오.

18 + 39 = ☐   47 + 16 = ☐

29 + 12 = ☐   76 + 18 = ☐

37 + 28 = ☐   28 + 39 = ☐

49 + 47 = ☐   35 + 57 = ☐

19 + 72 = ☐   26 + 29 = ☐

24 + 48 = ☐   49 + 38 = ☐

27 + 14 =

37 + 17 =

48 + 15 =

56 + 36 =

19 + 29 =

27 + 29 =

68 + 23 =

48 + 35 =

16 + 19 =

29 + 17 =

18 + 54 =

16 + 78 =

오늘은 얼마나 잘해 왔을까요?
칭찬 붙임 딱지를
붙여 주세요!

4 일차

합이 100보다 큰 덧셈

🌷 동전을 붙이며 덧셈을 하시오.

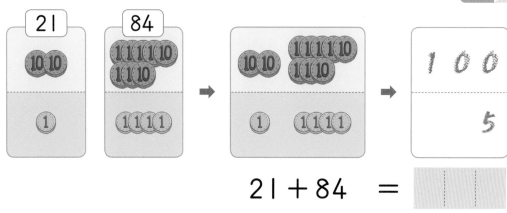

$$21 + 84 \ = \ $$

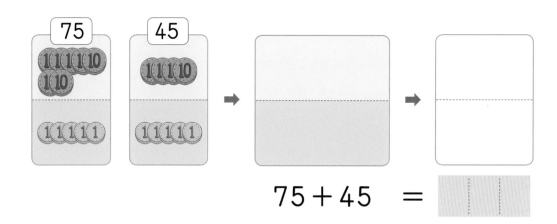

$$75 + 45 \ = \ $$

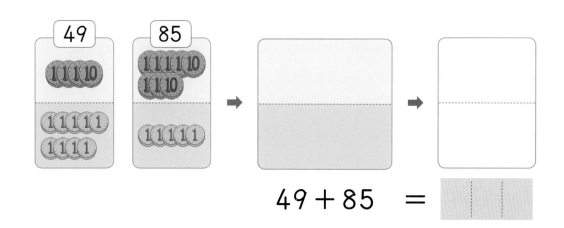

$$49 + 85 \ = \ $$

안에 알맞은 수를 써넣어 덧셈을 하시오.

○ 보기 ○

$30 + 80 =$ 110

$4 + 9 =$ 13

$34 + 89 =$ 123

$70 + 50 =$ 120

$5 + 3 =$ 8

$75 + 53 =$

$40 + 60 =$

$8 + 2 =$

$48 + 62 =$

$90 + 40 =$

$5 + 5 =$

$95 + 45 =$

$60 + 80 =$

$7 + 4 =$

$67 + 84 =$

$50 + 90 =$

$8 + 9 =$

$58 + 99 =$

4 일차

♀ '십의 자리 → 일의 자리' 순서로 계산하시오.

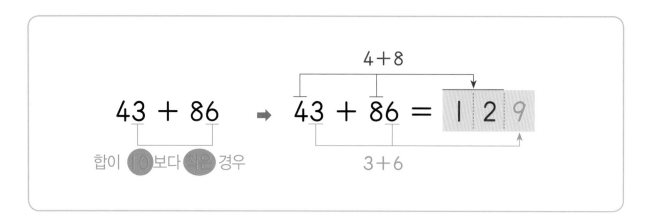

$$4+8$$
$$43 + 86 \Rightarrow 43 + 86 = \boxed{1 \ 2 \ 9}$$
$$합이 \ 10 보다 \ 작은 \ 경우$$
$$3+6$$

$$5+5$$
$$54 + 51 = \boxed{1 \ 0}$$
$$4+1$$

$$3+9$$
$$32 + 94 = \boxed{1 \ 2}$$
$$2+4$$

$$87 + 32 = \boxed{}$$

$$71 + 61 = \boxed{}$$

$$63 + 93 = \boxed{}$$

$$67 + 42 = \boxed{}$$

$$74 + 75 = \boxed{}$$

$$92 + 83 = \boxed{}$$

$5+7+1$

$58 + 74$ ➡ $58 + 74 = 1\ 3\ 2$

합이 10보다 큰 경우 $8+4$의 일의 자리 숫자

1
B02

$6+5+1$

$64 + 59 = 1\ 2$

$4+9$의 일의 자리 숫자

$7+6+1$

$78 + 65 =$

$8+5$의 일의 자리 숫자

$38 + 97 =$

$99 + 53 =$

$27 + 74 =$

$79 + 59 =$

$85 + 77 =$

$66 + 89 =$

4 일차

💮 덧셈을 하시오.

83 + 41 =

81 + 32 =

65 + 43 =

42 + 93 =

34 + 95 =

93 + 34 =

73 + 33 =

51 + 67 =

82 + 52 =

75 + 72 =

54 + 94 =

65 + 71 =

67 + 36 =

53 + 78 =

79 + 76 =

65 + 89 =

37 + 64 =

67 + 48 =

65 + 97 =

94 + 99 =

47 + 69 =

86 + 66 =

94 + 98 =

99 + 37 =

5 일차　세로셈

🌷 동전을 붙이며 덧셈을 하시오.

준비물 ▶ 붙임 딱지

```
    3  5
 +  2  6
 ─────────
```

```
    5  5
 +  6  7
 ─────────
```

☻ 일의 자리, 십의 자리를 맞추어 덧셈을 하시오.

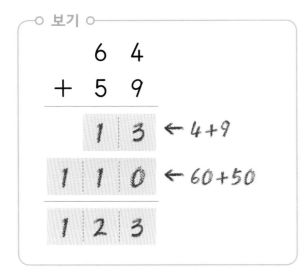

○ 보기 ○

```
    6  4
 +  5  9
 ─────────
    1  3   ← 4+9
  1  1  0  ← 60+50
 ─────────
  1  2  3
```

```
    5  8
 +  7  3
 ─────────
    1  1   ← 8+3
  1  2  0  ← 50+70
```

```
    3  2
 +  9  5
 ─────────
```

```
    7  6
 +  6  7
 ─────────
```

```
    8  6
 +  8  4
 ─────────
```

```
    6  9
 +  9  8
 ─────────
```

🔵 일의 자리, 십의 자리를 맞추어 덧셈을 하시오.

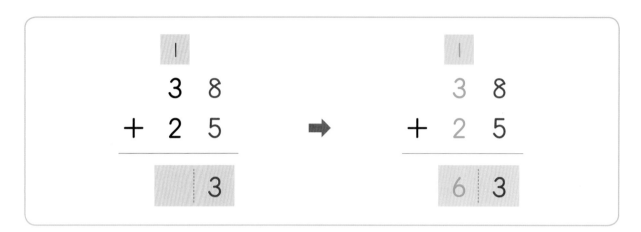

	1	
	3	8
+	2	5
		3

➡

	1	
	3	8
+	2	5
	6	3

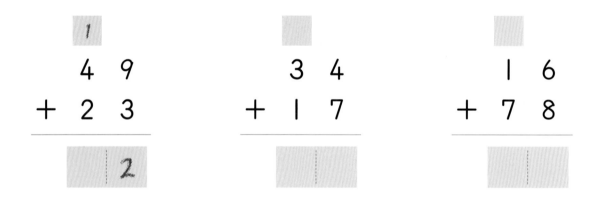

	1	
	4	9
+	2	3
		2

	3	4
+	1	7

	1	6
+	7	8

	2	9
+	3	9

	2	7
+	2	6

	3	8
+	5	4

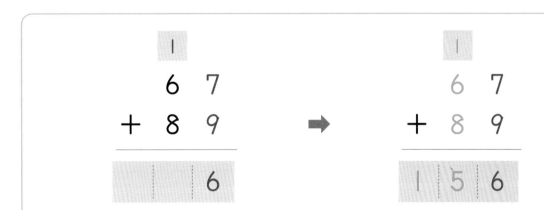

```
    1                    1
    6 7                  6 7
  + 8 9      ➡         + 8 9
  ───────              ───────
        6              1 5 6
```

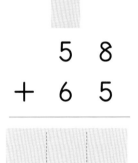

```
    5 8
  + 6 5
  ───────
```

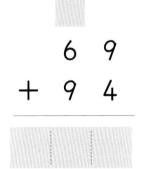

```
    6 9
  + 9 4
  ───────
```

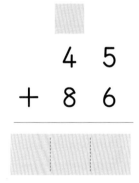

```
    4 5
  + 8 6
  ───────
```

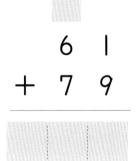

```
    6 1
  + 7 9
  ───────
```

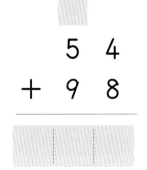

```
    5 4
  + 9 8
  ───────
```

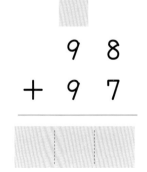

```
    9 8
  + 9 7
  ───────
```

❖ 덧셈을 하시오.

```
    1 7              5 9              2 6
  + 1 9            + 1 2            + 3 5
  -------          -------          -------
```

```
    4 5              2 4              1 8
  + 3 5            + 6 8            + 2 7
  -------          -------          -------
```

```
    5 7              3 9              6 6
  + 2 6            + 2 9            + 1 8
  -------          -------          -------
```

```
   5 4
+  8 8
───────
```

```
   9 7
+  6 3
───────
```

```
   6 9
+  5 8
───────
```

1
B02

```
   4 8
+  5 3
───────
```

```
   8 7
+  6 6
───────
```

```
   3 7
+  7 8
───────
```

```
   4 4
+  8 6
───────
```

```
   7 6
+  6 7
───────
```

```
   9 9
+  9 6
───────
```

🐷 2~4주 사고력 연산을 학습하기 전에 기본 연산 실력을 점검해 보세요.

1. 24 + 13 =

2. 16 + 32 =

3. 18 + 71 =

4. 24 + 26 =

5. 31 + 49 =

6. 12 + 78 =

7. 27 + 35 =

8. 45 + 28 =

9. 15 + 16 =

10. 69 + 19 =

11. 18 + 47 =

12. 53 + 39 =

13. 83 + 21 =

14. 76 + 52 =

15. 63 + 84 =

16. 36 + 74 =

17. 95 + 55 =

18. 81 + 59 =

19. 47 + 85 =

20. 68 + 56 =

21. 93 + 48 =

22. 57 + 99 =

23. 25 + 78 =

24. 97 + 87 =

25.
```
   4 3
 + 2 2
```

26.
```
   1 1
 + 3 4
```

27.
```
   3 4
 + 6 5
```

28.
```
   3 7
 + 4 3
```

29.
```
   2 9
 + 1 4
```

30.
```
   5 7
 + 2 7
```

31.
```
   7 6
 + 8 1
```

32.
```
   9 5
 + 3 3
```

33.
```
   6 7
 + 9 3
```

34.
```
   5 6
 + 5 4
```

35.
```
   8 7
 + 6 9
```

36.
```
   2 2
 + 7 8
```

37.
$$
\begin{array}{r}
6\ 7 \\
+\ 7\ 5 \\
\hline
\end{array}
$$

38.
$$
\begin{array}{r}
3\ 9 \\
+\ 6\ 9 \\
\hline
\end{array}
$$

39.
$$
\begin{array}{r}
9\ 7 \\
+\ 9\ 8 \\
\hline
\end{array}
$$

연산 실력 분석

오답 수에 맞게 학습을 진행하시기 바랍니다.

평가	오답 수	학습 방법
최고예요	0 ~ 2개	전반적으로 학습 내용에 대해 정확히 이해하고 있으며 매우 우수합니다. 기본 연산 문제를 자신 있게 풀 수 있는 실력을 갖추었으므로 이제는 사고력을 향상시킬 차례입니다. 2주차부터 차근차근 학습을 진행해 보세요. 학습 [2주차] → [3주차] → [4주차]
잘했어요	3 ~ 4개	기본 연산 문제를 전반적으로 잘 이해하고 풀었지만 약간의 실수가 있는 것 같습니다. 틀린 문제를 다시 한 번 풀어 보고, 문제를 차근차근 푸는 습관을 갖도록 노력해 보세요. 매스티안 홈페이지에서 제공하는 보충 학습으로 연산 실력을 향상시킨 후 2, 3, 4주차 학습을 진행해 주세요. 학습 [틀린 문제 복습] → [보충 학습] → [2주차] → …
노력해요	5개 이상	개념을 정확하게 이해하고 있지 않아 연산을 하는데 어려움이 있습니다. 개념을 이해하고 연산 문제를 반복해서 연습해 보세요. 매스티안 홈페이지에서 제공하는 보충 학습이 연산 실력을 향상시키는데 도움이 될 것입니다. 여러분도 곧 연산왕이 될 수 있습니다. 조금만 힘을 내 주세요. 학습 [1주차 원리 중심 복습] → [보충 학습] → [2주차] → …

학습관리표

일자			소요 시간	틀린 문항 수	확인
❶ 일차	월	일	:		
❷ 일차	월	일	:		
❸ 일차	월	일	:		
❹ 일차	월	일	:		
❺ 일차	월	일	:		

②주

측정 셈

🌷  안에 알맞은 수를 써넣으시오.

─○ 보기 ○─

10
21
31

10
+
21

15
20

16
14

17
26

23
28

39
29

👤 ▨ 안에 알맞은 수를 써넣으시오.

┌─○ 보기 ○─────────────────────┐
│   │
│   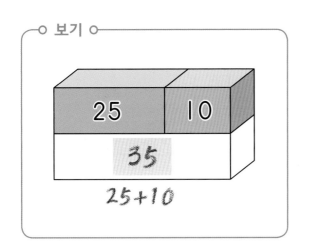   │
│   25   10   │
│   35   │
│   25+10   │
│   │
└──────────────────────────────┘

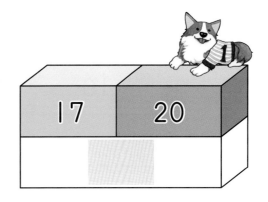
17   20

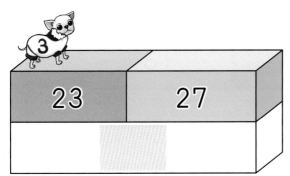
23   27

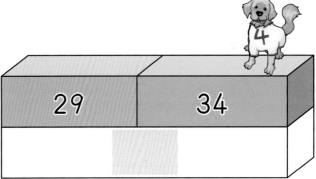
29   34

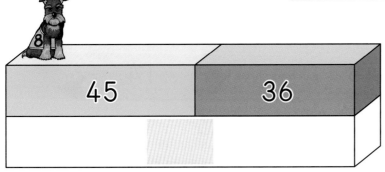
45   36

🌸 ▨ 안에 알맞은 수를 써넣으시오.

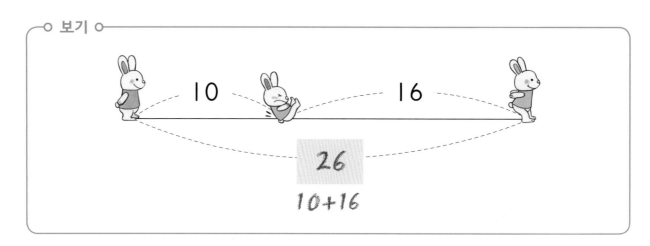

보기

10   16

26
10+16

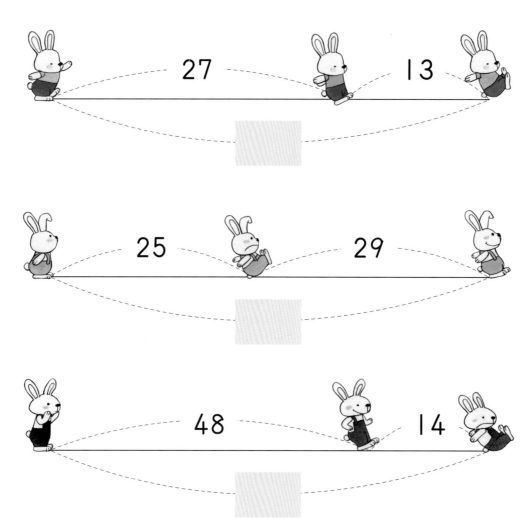

27   13

25   29

48   14

❖ 덧셈을 하여 관계있는 것끼리 연결하시오.

 14+39

 51

 10+12

 22

2
B02

 23+28

 53

 34+26

 44

 17+27

 60

오늘은 얼마나 잘했을까요?
칭찬 붙임 딱지를
붙여 주세요!

2 일차 올바른 식 찾기

🌷 주어진 식 중 올바른 식을 찾아 ◯표 하시오.

○ 보기 ○

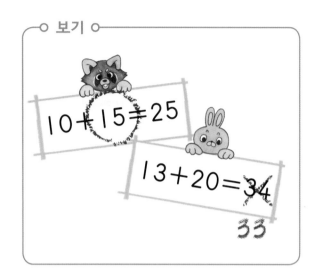

$10+15=25$

$13+20=3\cancel{4}$
33

$13+17=31$

$24+16=40$

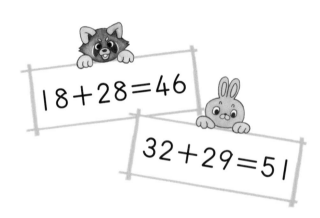

$18+28=46$

$32+29=51$

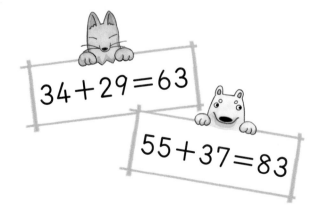

$34+29=63$

$55+37=83$

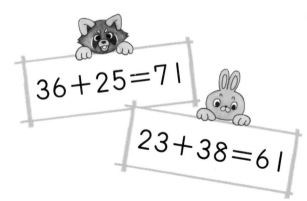

$36+25=71$

$23+38=61$

주어진 계산 값이 나오는 덧셈식을 찾아 ◯표 하시오.

🧑 1개의 수를 ✕표로 지워 두 수의 합이 주어진 수가 되도록 하시오.

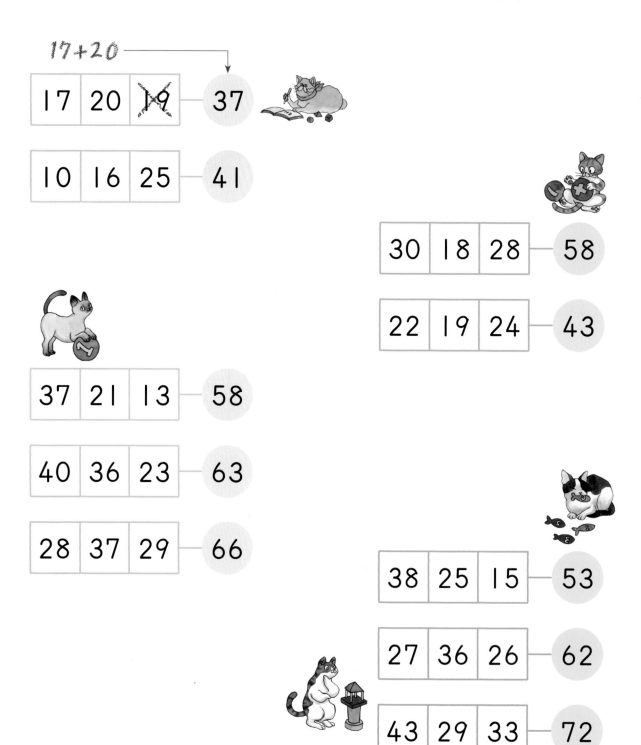

17+20

| 17 | 20 | ~~19~~ | 37 |

| 10 | 16 | 25 | 41 |

| 30 | 18 | 28 | 58 |

| 22 | 19 | 24 | 43 |

| 37 | 21 | 13 | 58 |

| 40 | 36 | 23 | 63 |

| 28 | 37 | 29 | 66 |

| 38 | 25 | 15 | 53 |

| 27 | 36 | 26 | 62 |

| 43 | 29 | 33 | 72 |

표에서 계산한 값의 색깔을 찾아 알맞게 색칠해 보시오.

29	52	45	50	33	60
〇	〇	〇	〇	〇	〇

14+15 =29

13+20

22+28

16+36

11+49

17+28

사다리 셈

🌷 사다리타기를 하여 ▨ 안에 알맞은 수를 써넣으시오.

17   14

+10

14+10   17+10

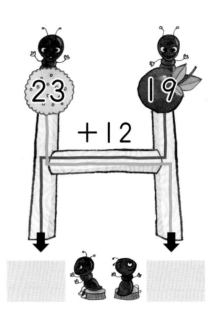

23   19

+12

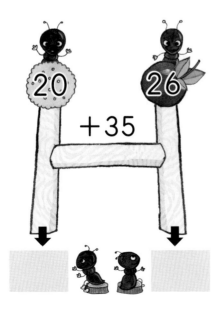

20   26

+35

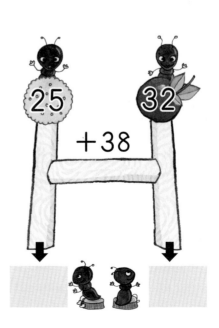

25   32

+38

사다리타기를 하여 ▨ 안에 알맞은 수를 써넣으시오.

+16

14

14+16
=30

+20

30+20

27

+13

27+13
=40

+16

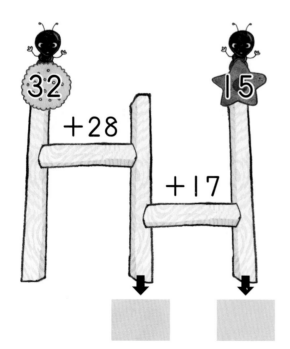

32

+28

15

+17

36

+19

19

+30

사다리타기를 하여 █ 안에 알맞은 수를 써넣으시오.

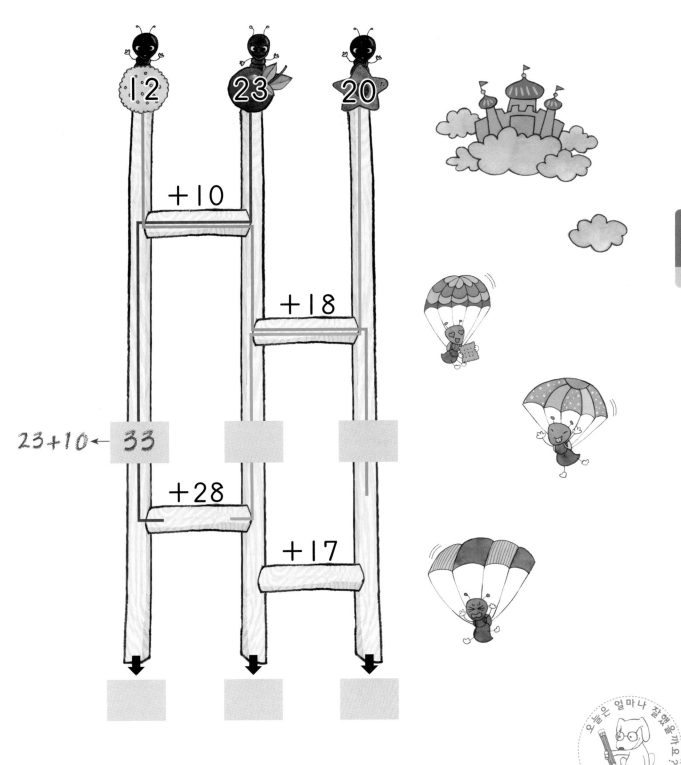

12   23   20

+10

+18

23+10 ← 33

+28

+17

🌷 규칙을 찾아 ▨ 안에 알맞은 수를 써넣으시오.

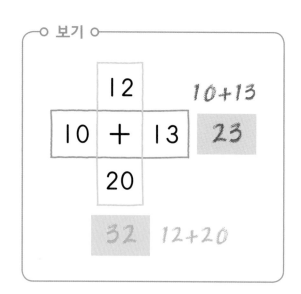

◦ 보기 ◦

	12		
10	+	13	23 10+13
	20		

32 12+20

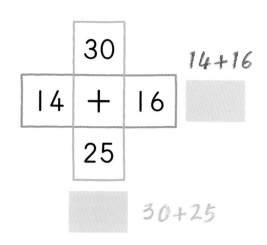

	30		
14	+	16	14+16
	25		

30+25

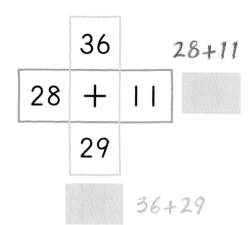

	36		
28	+	11	28+11
	29		

36+29

	55		
32	+	38	
	22		

	44		
17	+	39	
	48		

👤 규칙을 찾아 ▨ 안에 알맞은 수를 써넣으시오.

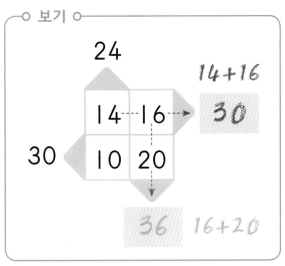

보기

24

14 + 16

14 — 16 → 30

30 ◁ 10 20

36　16+20

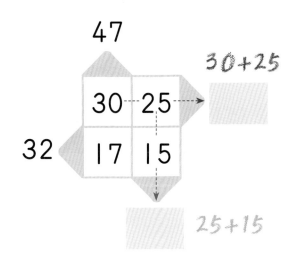

47

30 + 25

30 — 25 → ▨

32 ◁ 17 15

▨　25+15

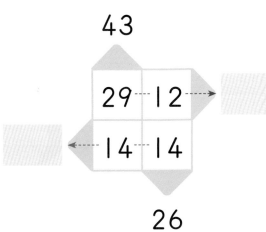

43

29 — 12 → ▨

▨ ◁ 14 — 14

26

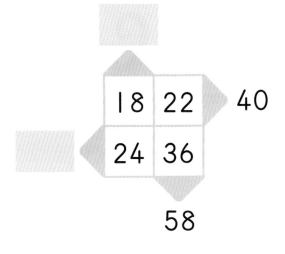

▨

18 22　40

▨ ◁ 24 36

58

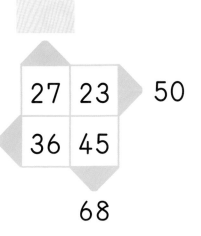

▨

27 23　50

▨ ◁ 36 45

68

2
B02

4 일차

😊 규칙을 찾아 ⬤ 안에 알맞은 수를 써넣으시오.

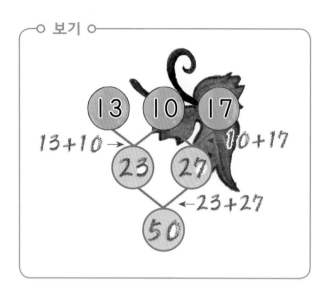

○ 보기 ○

13 · 10 · 17
13+10 → · · ← 10+17
23 · 27
← 23+27
50

10 · 25 · 20
35 · ⬤
⬤

30 · 12 · 18
⬤ · 30
⬤

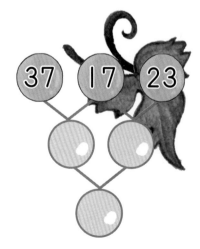

37 · 17 · 23
⬤ · ⬤
⬤

35 · 14 · 29
⬤ · ⬤
⬤

주어진 가로·세로 열쇠를 보고 퍼즐을 완성하시오.

2
B02

가로 열쇠	세로 열쇠
① 20＋17＝37	㉠ 32＋42
② 15＋30	㉡ 21＋35
③ 40＋23	㉢ 19＋19
④ 23＋28	㉣ 54＋58
⑤ 37＋67	㉤ 29＋16

연속 셈

❀ 빈칸에 알맞은 수를 써넣으시오.

보기

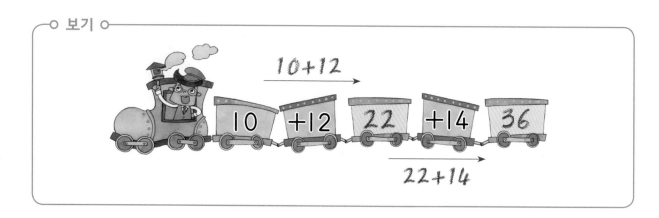

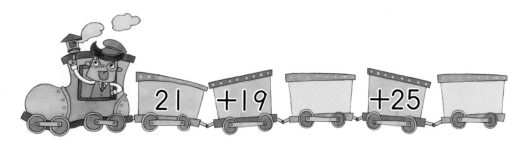

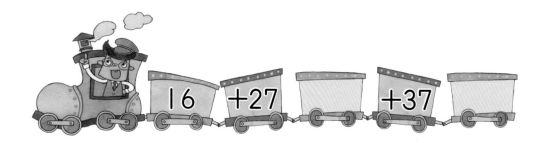

● 빈칸에 알맞은 수를 써넣으시오.

보기

오 ▦ 안에 알맞은 수를 써넣으시오.

─○ 보기 ○─

| 14 | + | 19 | = | 33 |

① 14+19=33

+

| 17 |

=

50

② 33 + 17 = 50

| 30 |

+

| 28 |

=

▦ + | 12 | = ▦

| 25 | + | 15 | = ▦

+   +

| 38 | | 22 |

=   =

▦   ▦

| 19 | + | 24 | = ▦ | 11 | + | 55 | = ▦

+   +

| 20 | | 17 |

=   =

| 27 | + ▦ = ▦ | 26 | + ▦ = ▦

💧 화살표 방향으로 계산하여 빈칸에 알맞은 수를 써넣으시오.

학습관리표

일 자			소요 시간	틀린 문항 수	확인
❶ 일차	월	일	:		
❷ 일차	월	일	:		
❸ 일차	월	일	:		
❹ 일차	월	일	:		
❺ 일차	월	일	:		

3 주

더하기 8,9

❦ ▨ 안에 알맞은 수를 써넣으시오.

18	30

18 + 29 1

$18 + 30 = 48$ ⌐
$18 + 29 = $ ⌐ -1

26	40

26 + 39 1

$26 + 40 = $
$26 + 39 = $ -1

24	30

24 + 28 2

$24 + 30 = $
$24 + 28 = $ -2

25	50

25 + 48 2

$25 + 50 = $
$25 + 48 = $ -2

♀ ▨ 안에 알맞은 수를 써넣으시오.

17 + 19 = ▨

17 + 20 ———┐
           └ −1

15 + 18 = ▨

15 + 20 ———┐
           └ −2

15 + 29 = ▨

15 + 30 ———┐
           └ −1

27 + 38 = ▨

27 + 40 ———┐
           └ −2

24 + 39 = ▨

24 + 40 ———┐
           └ −1

36 + 48 = ▨

36 + 50 ———┐
           └ −2

38 + 59 = ▨

38 + 60 ———┐
           └ −1

38 + 58 = ▨

38 + 60 ———┐
           └ −2

3
B02

😀 자동차가 지나간 길의 두 수의 합이 나오도록 길을 그리고, 식으로 나타내시오.

○ 보기 ○

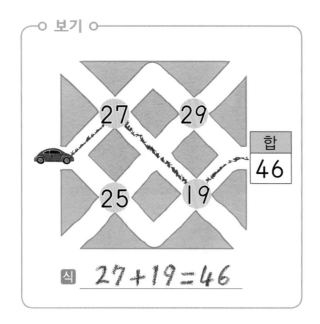

식 27+19=46

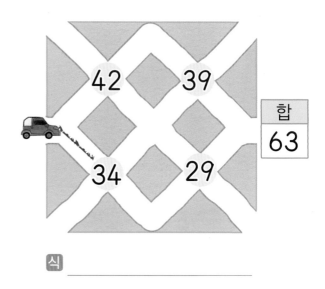

식 _____

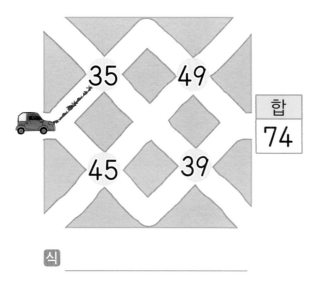

식 _____

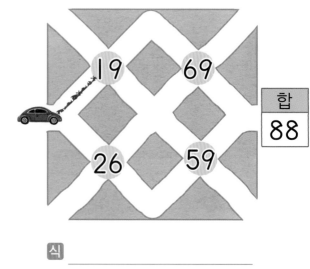

식 _____

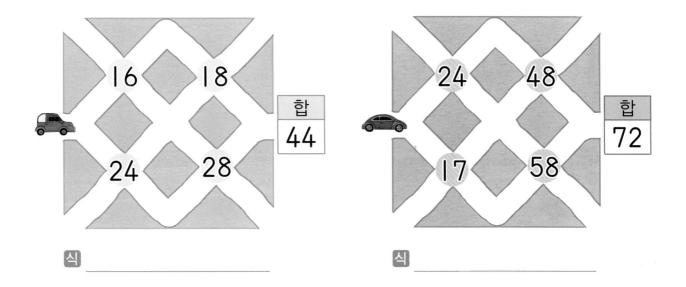

합
44

식 _____

합
72

식 _____

3
B02

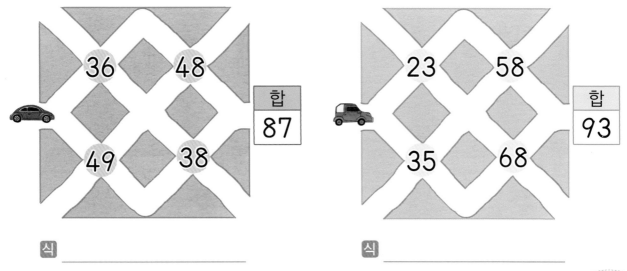

합
87

식 _____

합
93

식 _____

고대수

🌷 ██ 안에 알맞은 이집트 수를 써넣으시오.

1	2	3	4	5	6	7	8	9	10	20

30	40	50	60	70	80	90	100

─○ 보기 ○─

20 + 12 = 32

∩ + ∩‖ = ∩∩∩‖‖

16 + 25 = 41

∩‖‖‖ + ∩∩‖‖ = ∩∩‖

13 + 10

∩‖‖‖ + ∩ = ██

15 + 20

∩‖‖‖ + ∩∩ = ██

$$\cap \begin{smallmatrix}|||\\|||\end{smallmatrix} + \cap\cap\cap =$$ 　　　　$$\begin{smallmatrix}\cap\cap\cap\\\cap\cap\end{smallmatrix} + \cap|||| =$$

$$\cap \begin{smallmatrix}|||\\||\end{smallmatrix} + \cap\cap| =$$ 　　　　$$\begin{smallmatrix}\cap\cap|||\\\cap\cap|||\end{smallmatrix} + \cap\begin{smallmatrix}|||\\|||\end{smallmatrix} =$$

$$\cap|||| + \cap\cap \begin{smallmatrix}||||\\|||\end{smallmatrix} =$$

126

$$\cap\cap\cap \begin{smallmatrix}|||||\\||||\end{smallmatrix} + \cap \begin{smallmatrix}|||\\|||\end{smallmatrix} =$$

🌸 안에 알맞은 로마 수를 써넣으시오.

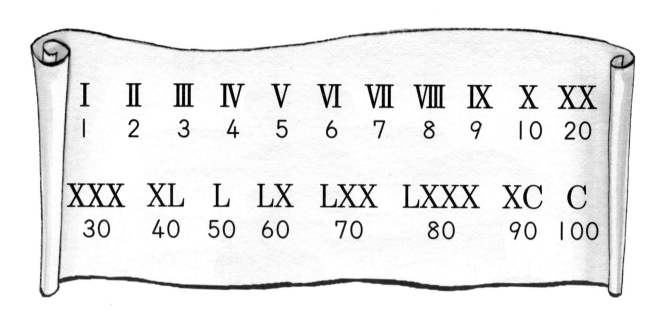

I	II	III	IV	V	VI	VII	VIII	IX	X	XX
1	2	3	4	5	6	7	8	9	10	20

XXX	XL	L	LX	LXX	LXXX	XC	C
30	40	50	60	70	80	90	100

─○ 보기 ○─

30 + 11 = 41   28 + 27 = 55

XXX + XI = [XLI]   XX VIII + XX VII = [LV]

14 + 20   40 + 29

X IV + XX = [   ]   XL + XX IX = [   ]

$XXX + LII =$

$XLI + L =$

$LV + XXII =$

$XLVI + XVI =$

3
B02

$XIV + XVI =$

$XXV + LXVII =$

약속 셈

○ 약속에 맞게 식을 계산하여 ▨ 안에 알맞은 수를 써넣으시오.

| 약속 | 가 ◉ 나 = 가 + 나 + 8 |

7 ◉ 9 = ▦ 7 ▦ + ▦ 9 ▦ + 8 = ▨

10 ◉ 13 = ▨ + ▨ + 8 = ▨

16 ◉ 20 = ▨ + ▨ + 8 = ▨

| 약속 | 가 ★ 나 = 가 + 12 + 나 |

12 ★ 10 = ▦ 12 ▦ + ▨ + ▦ 10 ▦ = ▨

18 ★ 23 = ▨ + ▨ + ▨ = ▨

약속   가 ◆ 나 = 가 + 나 + 나

17 ◆ 20 = 17 + 20 + 20 = ⬜

10 ◆ 19 = ⬜ + ⬜ + ⬜ = ⬜

23 ◆ 34 = ⬜ + ⬜ + ⬜ = ⬜

약속   가 ♥ 나 = 가 + 나 + 가

23 ♥ 30 = ⬜ + 30 + ⬜ = ⬜

27 ♥ 36 = ⬜ + ⬜ + ⬜ = ⬜

3
B02

약속에 맞게 식을 계산하여 ▨ 안에 알맞은 수를 써넣으시오.

약속 가 ◆ 나 = 10 + 가 + 나

20 ◆ 15 = ▨

→ 10+20+15

18 ◆ 22 = ▨

23 ◆ 39 = ▨

36 ◆ 46 = ▨

약속 가 ♥ 나 = 나 + 나 + 가

10 ♥ 17 = ▨

→ 17+17+10

19 ♥ 20 = ▨

42 ♥ 14 = ▨

16 ♥ 35 = ▨

약속

$9 \odot 13 = 9 + 13 + 15 = 37$
$12 \odot 24 = 12 + 24 + 15 = 51$

$10 \odot 25 = \boxed{10} + \boxed{25} + \boxed{} = \boxed{}$

$23 \odot 37 = \boxed{} + \boxed{} + \boxed{} = \boxed{}$

약속

$10 \bigstar 26 = 10 + 10 + 26 = 46$
$34 \bigstar 12 = 34 + 34 + 12 = 80$

$19 \bigstar 30 = \boxed{} + \boxed{} + \boxed{} = \boxed{}$

$28 \bigstar 35 = \boxed{} + \boxed{} + \boxed{} = \boxed{}$

오늘은 얼마나 잘했을까요?
칭찬 붙임 딱지를
붙여 주세요!

4

일차

퍼즐 연산

🌷 각 줄의 수의 합이 오른쪽과 아래쪽의 수가 되도록 ⬤ 안에 알맞은 수를 써 넣으시오.

보기

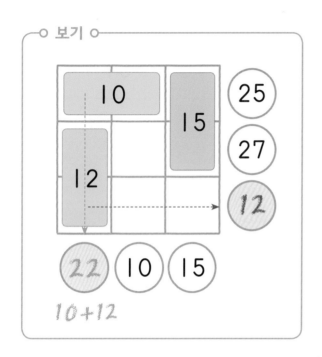

10 + 12

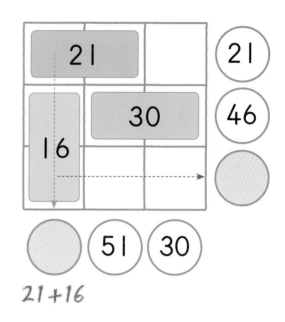

21 + 16

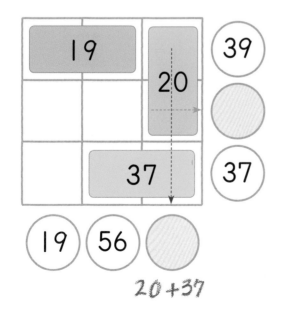

20 + 37

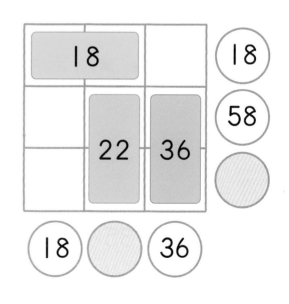

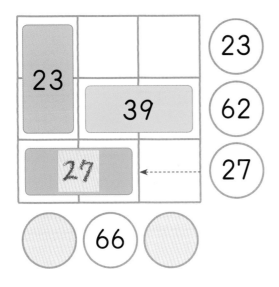

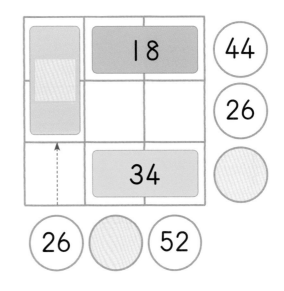

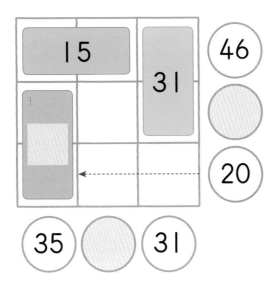

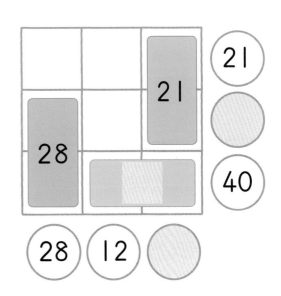

3

B02

4 일차

각 줄의 수의 합이 오른쪽과 아래쪽의 수가 되도록 수 막대 2개를 넣어 보시오.

 온라인 활동지

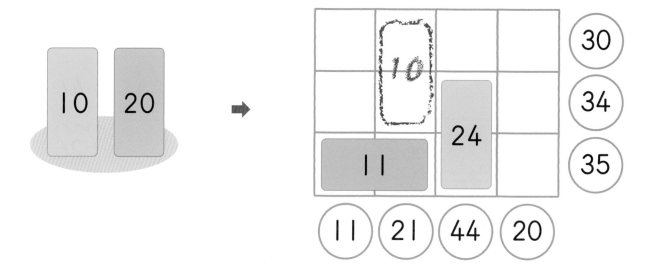

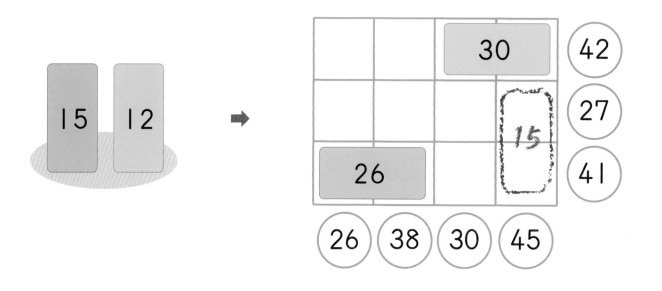

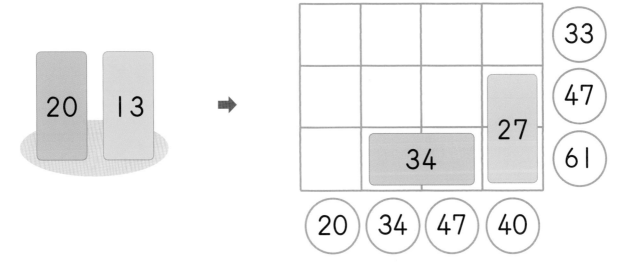

20 13

				33
				47
		34	27	61

20 34 47 40

3

25 35

19				54
		16		35
				25

44 60 51 16

오늘은 얼마나 잘했을까요?
칭찬 붙임 딱지를
붙여 주세요!

❁ 도형이 나타내는 숫자를 구하시오. (단, 같은 모양은 같은 숫자를 나타냅니다.)

─○ 보기 ○─

```
      3  ●
   +  1  8
   ─────────
      1  2   → ●+8
   ●  0      → 30+10
   ─────────
   5  2
```

● = 4

```
      2  ◆
   +  1  7
   ─────────
      1  0
   ◆  0
   ─────────
   4  0
```

◆ =

```
      5  8
   +  2  ◆
   ─────────
      1  5
   ◆  0
   ─────────
   8  5
```

◆ =

```
      4  9
   +  4  ●
   ─────────
      1  7
   ●  0
   ─────────
   9  7
```

● =

```
    1  ♥
  + 5  ♥
  ───────
    1  2
  ♥    0
  ───────
    7  2
```

♥ =

```
    6  ★
  + 2  ★
  ───────
    1  6
  ★    0
  ───────
    9  6
```

★ =

```
    ★  ★
  + 7  ★
  ───────
  ♥    0
  ♥  2  0
  ───────
  ♥  3  0
```

★ = , ♥ =

```
    ●  ●
  + ●  6
  ───────
  1  ◆
  1  4  0
  ───────
  1  5  ◆
```

● = , ◆ =

도형이 나타내는 숫자를 구하고, 덧셈식을 완성하시오. (단, 같은 모양은 같은 숫자를 나타냅니다.)

○ 보기 ○

$$\begin{array}{r} 2\ \heartsuit \\ +\ \heartsuit\ 7 \\ \hline 6\ 0 \end{array}$$

$\heartsuit = 3$

덧셈식
$$\begin{array}{r} 2\ 3 \\ +\ 3\ 7 \\ \hline 6\ 0 \end{array}$$

$\heartsuit + 7 = 10$

$$\begin{array}{r} 1\ \blacklozenge \\ +\ \blacklozenge\ 7 \\ \hline 6\ 1 \end{array}$$

$\blacklozenge =$

덧셈식

$$\begin{array}{r} \bigstar\ 8 \\ +\ 1\ \bigstar \\ \hline 8\ 4 \end{array}$$

$\bigstar =$

덧셈식

덧셈식

```
  ★ 7
+ 5 ★
─────
  ♥ 0
```

★ = 3

♥ =

덧셈식

```
  2 ◆
+ ◆ 6
─────
  ♥ 1
```

◆ =

♥ =

3
B02

덧셈식

```
  ★ ♥
+ 4 6
─────
  ♥ 3
```

♥ =

★ =

학습관리표

일 자			소요 시간	틀린 문항 수	확인
❶ 일차	월	일	:		
❷ 일차	월	일	:		
❸ 일차	월	일	:		
❹ 일차	월	일	:		
❺ 일차	월	일	:		

4 주

1
일차

벌레먹은 셈

🌷 ▨ 안에 알맞은 숫자를 써넣으시오.

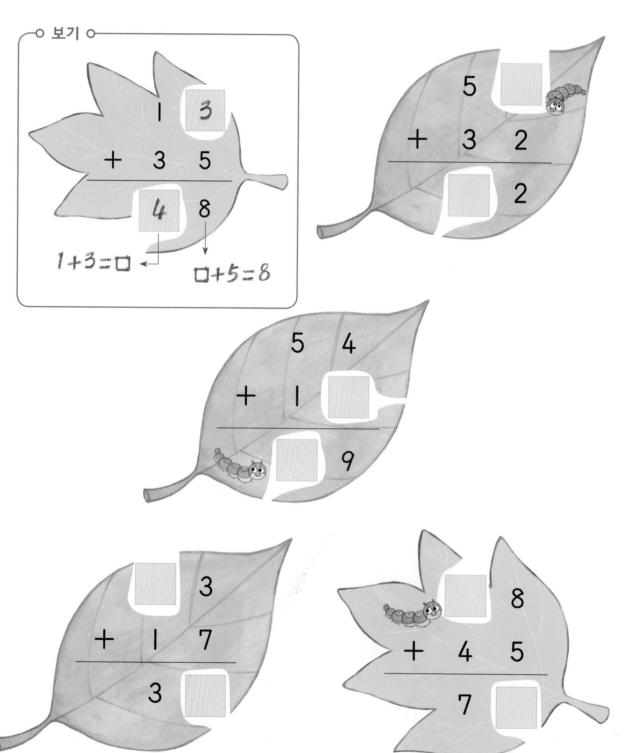

○ 보기 ○

```
    1   3
  +  3  5
  ─────────
    4   8
```

1+3=□ ←

□+5=8

```
    5   ▨
  +  3  2
  ─────────
        2
```

```
    5  4
  + ▨  1
  ─────────
   ▨  9
```

```
  ▨  3
  + 1  7
  ─────────
  3  ▨
```

```
  ▨  8
  + 4  5
  ─────────
  7  ▨
```

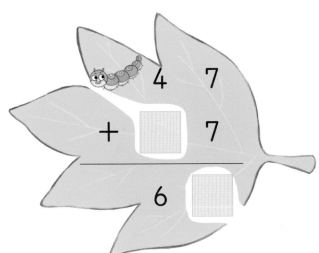

$$4 \ 7$$
$$+ \ \square \ 7$$
$$\overline{6 \ \square}$$

$$6 \ 8$$
$$+ \ \square \ 9$$
$$\overline{9 \ \square}$$

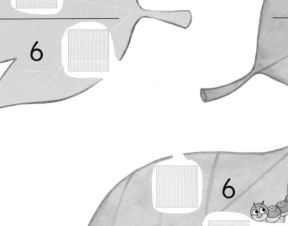

$$\square \ 6$$
$$+ \ 1 \ \square$$
$$\overline{5 \ 2}$$

4
B02

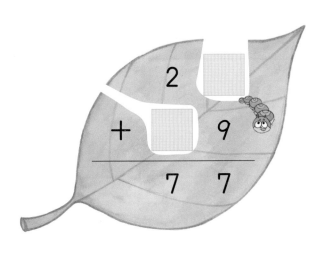

$$2 \ \square$$
$$+ \ \square \ 9$$
$$\overline{7 \ 7}$$

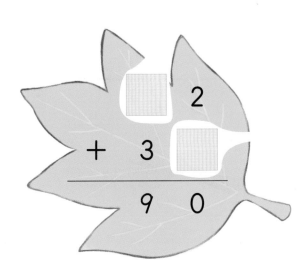

$$\square \ 2$$
$$+ \ 3 \ \square$$
$$\overline{9 \ 0}$$

안에 알맞은 숫자를 써넣으시오.

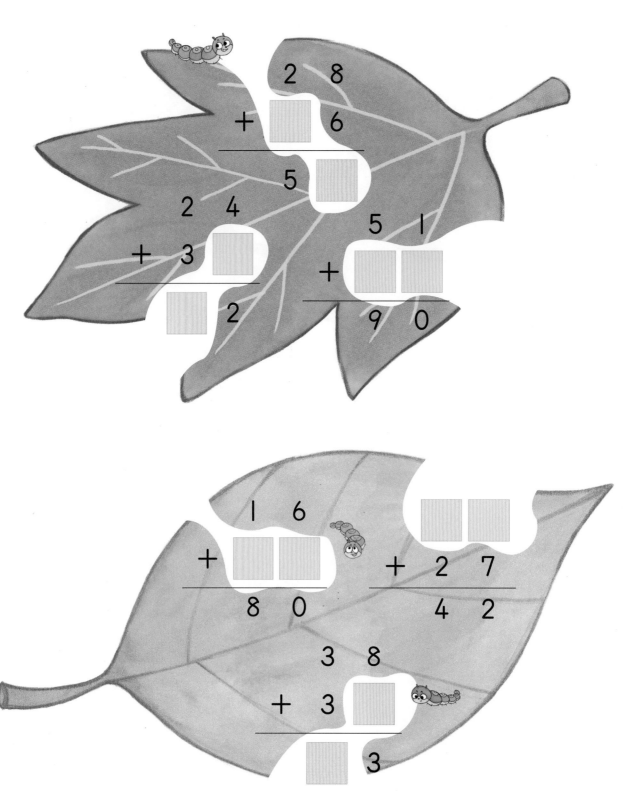

$$\begin{array}{r} 2\ 8 \\ +\ \square\ 6 \\ \hline 5\ \square \end{array}$$

$$\begin{array}{r} 2\ 4 \\ +\ 3\ \square \\ \hline \square\ 2 \end{array}$$

$$\begin{array}{r} 5\ 1 \\ +\ \square\ \square \\ \hline 9\ 0 \end{array}$$

$$\begin{array}{r} 1\ 6 \\ +\ \square\ \square \\ \hline 8\ 0 \end{array}$$

$$\begin{array}{r} \square\ \square \\ +\ 2\ 7 \\ \hline 4\ 2 \end{array}$$

$$\begin{array}{r} 3\ 8 \\ +\ 3\ \square \\ \hline \square\ 3 \end{array}$$

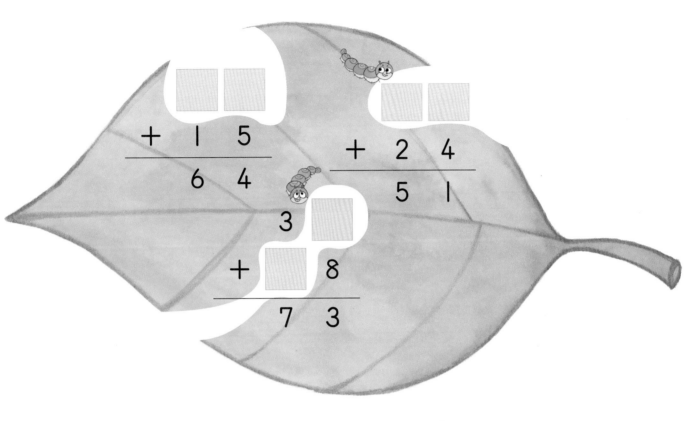

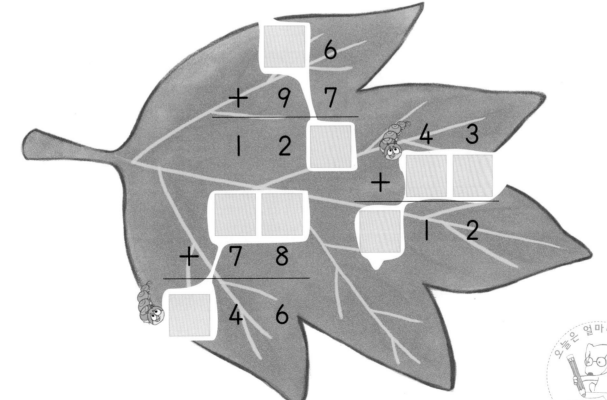

4

B02

목표수 만들기

🌷 주어진 숫자 카드를 모두 사용하여 목표수를 만들어 보시오.

🖨 온라인 활동지

○ 보기 ○

| 3 | 7 | 6 | 2 |

3	7
+	2	6

목표수 6 3

| 1 | 4 | 8 | 0 |

	8
+	1	

목표수 5 8

| 2 | 6 | 4 | 5 |

+		

목표수 7 1

| 1 | 7 | 9 | 3 |

+		

목표수 9 2

주어진 계산기의 버튼을 알맞은 순서로 눌러 계산 결과가 나오도록 하시오.

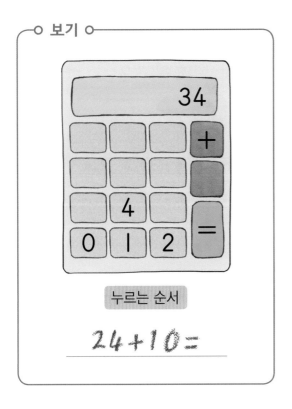

보기

누르는 순서

24+10=

81

누르는 순서

_____

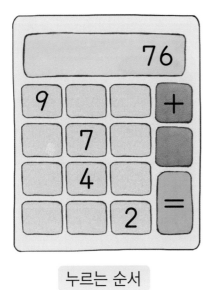

76

누르는 순서

_____

83

누르는 순서

_____

2
일차

👧 주어진 숫자카드를 사용하여 목표수를 만드는 방법을 **2가지씩** 찾아보시오.

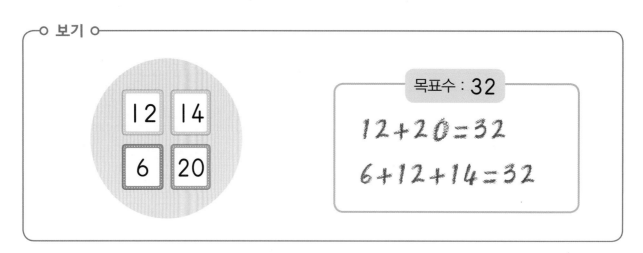

○ 보기 ○

| 12 | 14 |
| 6 | 20 |

목표수 : 32

$12 + 20 = 32$

$6 + 12 + 14 = 32$

| 12 | 13 |
| 21 | 25 |

목표수 : 46

| 15 | 32 |
| 17 | 31 |

목표수 : 63

주어진 숫자카드를 사용하여 목표수를 만드는 방법을 **2가지씩** 찾아보시오.

| 10 | 12 | 14 | 18 | 20 | 24 | 26 | 30 |

목표수 : 36

$12 + 24 = 36$

목표수 : 38

$18 + 20 = 38$

목표수 : 44

목표수 : 50

4

B02

도미노 덧셈

이웃한 도미노 수의 합이 주어진 수가 되도록 빈칸에 알맞게 써넣으시오.

📠 온라인 활동지

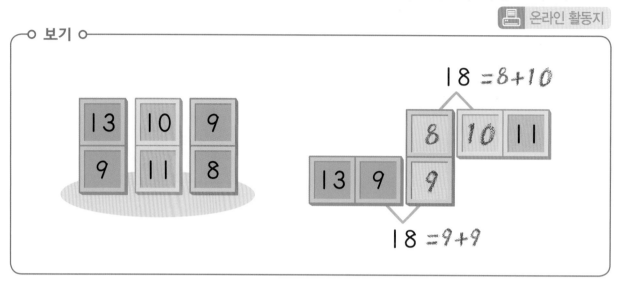

o 보기 o

18 = 8 + 10

18 = 9 + 9

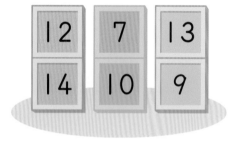

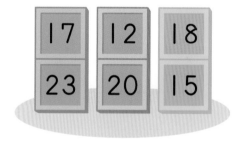

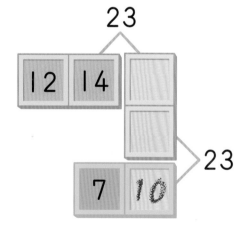

23

23

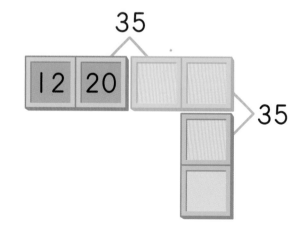

35

35

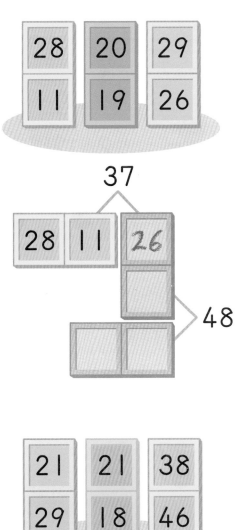

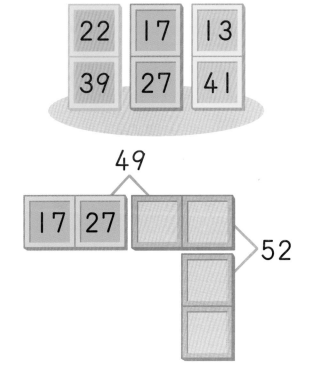

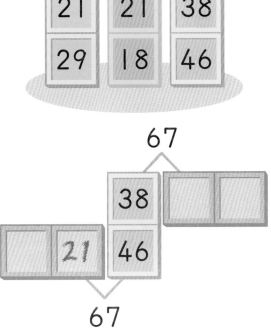

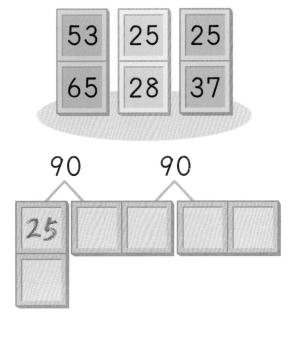

3
일차

합이 주어진 수가 되는 두 수를 찾아 색칠하시오.

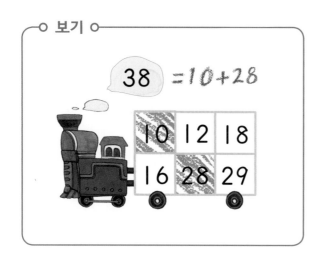

보기

38 =10+28

10	12	18
16	28	29

53

26	20	19
30	17	33

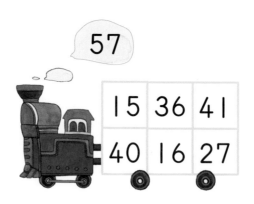

57

15	36	41
40	16	27

80

38	27	22
43	35	42

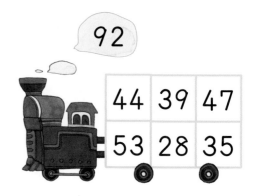

92

44	39	47
53	28	35

🌱 세 수의 합이 주어진 수가 되도록 ▭ 또는 ⌐ 모양으로 4개 보다 많이
묶어 보시오.

50

10	30	10	30	5	25	35	10
5	20	30	20	5	40	15	25
			+				
15	5	40	15	35	20	30	5
			+				
5	25	35	15	40	20	10	15

→ 20+15+15=50

70

15	10	10	20	10	30	10	25
35	5	50	5	30	55	35	40
20	10	25	20	40	15	15	30
							+
50	15	20	30	5	5	30 +	10

30+10+30=70 ←

4
일차

가장 큰 값, 가장 작은 값

❁ 숫자 카드를 한 번씩 사용하여 조건에 맞는 값을 구하시오.

🖶 온라인 활동지

○ 보기 ○

2 3
4 5

가장 큰 값

5 3
+ 4 2
—————
9 5

가장 작은 값

2 4
+ 3 5
—————
5 9

---

1 3
5 6

가장 큰 값

6 ☐
+ 5 ☐
—————

가장 작은 값

1 ☐
+ 3 ☐
—————

---

1 2
4 8

가장 큰 값

8 ☐
+ 4 ☐
—————

가장 작은 값

1 ☐
+ 2 ☐
—————

	2	4
	5	9

가장 큰 값

9 ☐
+ ☐ ☐

가장 작은 값

2 ☐
+ ☐ ☐

1	3	5
	6	7

가장 큰 값

☐ ☐
+ ☐ ☐

가장 작은 값

☐ ☐
+ ☐ ☐

	0	4
	6	9

가장 큰 값

☐ ☐
+ ☐ ☐

가장 작은 값

☐ ☐
+ ☐ ☐

4
B02

🔲 색종이를 **3번** 잘라 네 수의 합이 **가장 크게** 또는 **가장 작게** 되도록 만드시오.

🖨 온라인 활동지

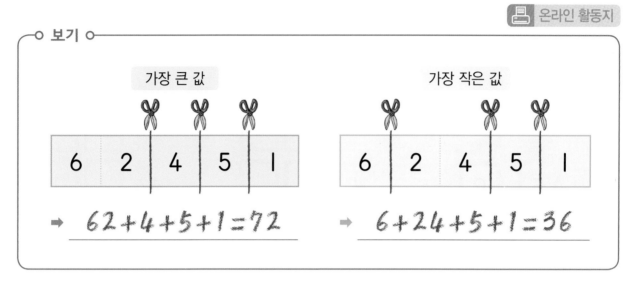

○ 보기 ○

가장 큰 값

| 6 | 2 | 4 | 5 | 1 |

➡ 62+4+5+1=72

가장 작은 값

| 6 | 2 | 4 | 5 | 1 |

➡ 6+24+5+1=36

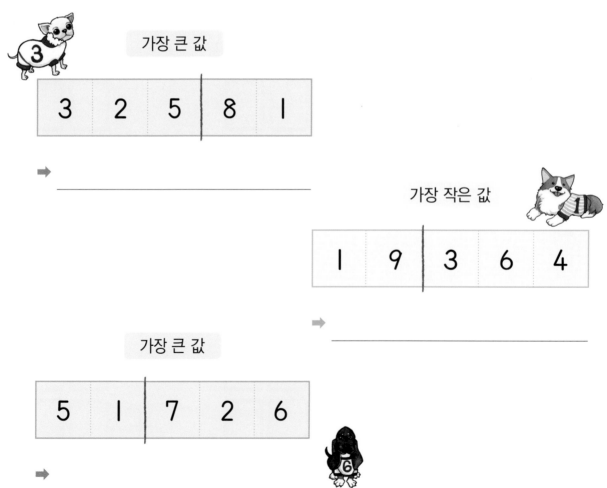

가장 큰 값

| 3 | 2 | 5 | 8 | 1 |

➡ _____

가장 작은 값

| 1 | 9 | 3 | 6 | 4 |

➡ _____

가장 큰 값

| 5 | 1 | 7 | 2 | 6 |

➡ _____

가장 큰 값

7	5	3	6	2

➡ _____

가장 작은 값

7	5	3	6	2

➡ _____

가장 큰 값

6	8	4	1	5

➡ _____

4

B02

가장 작은 값

6	8	4	1	5

➡ _____

덧셈식 완성하기

❁ 올바른 덧셈식이 되도록 필요 없는 수를 ✕표로 지우고, 바르게 고쳐 쓰시오.

┌─○ 보기 ○────────────────────────────────┐

  $10 + \cancel{24} + 35 = 45$ ➡ $10+35=45$

└──┘

$\cancel{32} + 20 + 41 = 61$ ➡ _____

$15 + 17 + 24 = 39$ ➡ _____

$28 + 27 + 18 = 55$ ➡ _____

$29 + 28 + 39 = 67$ ➡ _____

오 숫자 카드를 모두 사용하여 덧셈식을 완성하시오.

온라인 활동지

보기

| 4 | 5 | 3 | 0 |

```
      2  0
   +  3  4
   ─────────
      5  4
```

| 5 | 2 | 1 | 4 |

```
      3  □
   +  □  □
   ─────────
      □  7
```

| 3 | 6 | 7 | 1 |

```
      □  6
   +  4  □
   ─────────
      □  □
```

| 0 | 2 | 8 | 4 |

```
      3  □
   +  □  □
   ─────────
      8  □
```

4
B02

👤 올바른 식이 되도록 🔲 카드와 바꾸어야 하는 카드 1장을 찾아 색칠하시오.

보기

2 0 + 5 6 = 3 6 ➡ 20+36=56

3 5 + 6 0 = 3 5 ➡ _____

6 0 + 2 8 = 4 8 ➡ _____

2 3 + 1 5 = 4 9 ➡ _____

1 4 + 3 5 = 6 0 ➡ _____

8 1 + 3 7 = 7 4 ➔ _____

1 0 + 2 5 = 4 5 ➔ _____

8 4 + 2 2 = 7 0 ➔ _____

4

B02

2 7 + 4 3 = 6 1 ➔ _____

3 8 + 2 9 = 7 6 ➔ _____

칭찬 붙임 딱지를
붙여 주세요!

memo

B02
정답

학습가이드

받아올림이 없는 두 자리 수의 덧셈을 학습하는 과정입니다.

동전 모형을 통하여 각 자리의 숫자끼리 더하는 계산 원리를 이해하고, 이를 형식화할 때에는 십의 자리에서부터 일의 자리 순서로 계산할 수 있도록 지도해 주세요.

받아올림이 없는 두 자리 수의 덧셈이므로 자릿수만 잘 맞추어 계산하면 쉽게 해결할 수 있습니다.

$$20 + 10 = 30$$
$$3 + 4 = 7$$
$$23 + 14 = 37$$

$$\Rightarrow \quad 23 + 14 = 37 \quad (2+1,\ 3+4) \quad \Rightarrow \quad 23 + 14 = 37$$

P 8~9

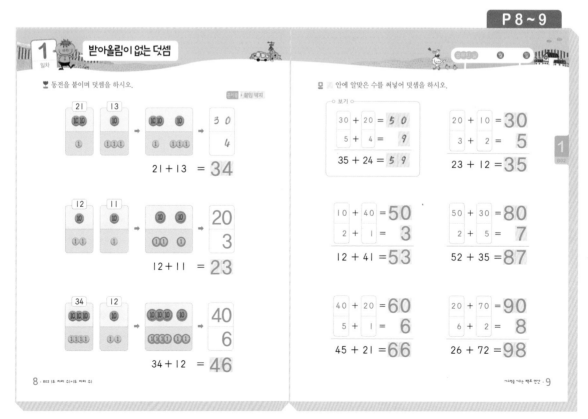

1 일차

○ '십의 자리 → 일의 자리' 순서로 계산하시오.

$$\begin{array}{c} 2+4 \\ 23 + 45 = 6 \end{array} \quad \rightarrow \quad \begin{array}{c} 23 + 45 = 6\,8 \\ 3+5 \end{array}$$

$$\begin{array}{c} 1+3 \\ 12 + 36 = 4\,8 \\ 2+6 \end{array} \qquad \begin{array}{c} 2+6 \\ 24 + 63 = 87 \\ 4+3 \end{array}$$

$$54 + 21 = 75 \qquad 32 + 10 = 42$$

$$62 + 24 = 86 \qquad 51 + 22 = 73$$

$$28 + 11 = 39 \qquad 44 + 24 = 68$$

10 · B02 (두 자리 수)+(두 자리 수)

$$27 + 32 = 59 \qquad 31 + 44 = 75$$

$$53 + 12 = 65 \qquad 16 + 11 = 27$$

$$14 + 22 = 36 \qquad 13 + 60 = 73$$

$$80 + 11 = 91 \qquad 46 + 43 = 89$$

$$72 + 13 = 85 \qquad 43 + 25 = 68$$

$$15 + 33 = 48 \qquad 14 + 31 = 45$$

사고력을 키우는 팩토 연산 · 11

---

1 일차

○ 덧셈을 하시오.

$$23 + 43 = 66 \qquad 14 + 25 = 39$$

$$32 + 15 = 47 \qquad 13 + 13 = 26$$

$$14 + 65 = 79 \qquad 55 + 12 = 67$$

$$24 + 30 = 54 \qquad 40 + 49 = 89$$

$$12 + 31 = 43 \qquad 55 + 33 = 88$$

$$54 + 22 = 76 \qquad 41 + 12 = 53$$

12 · B02 (두 자리 수)+(두 자리 수)

$$34 + 31 = 65 \qquad 62 + 22 = 84$$

$$52 + 46 = 98 \qquad 11 + 30 = 41$$

$$25 + 14 = 39 \qquad 31 + 56 = 87$$

$$33 + 22 = 55 \qquad 51 + 18 = 69$$

$$62 + 21 = 83 \qquad 14 + 22 = 36$$

$$23 + 56 = 79 \qquad 42 + 15 = 57$$

일의 자리 숫자의 합이 10일 때, 받아올림이 있는 두 자리 수의 덧셈을 학습하는 과정입니다.

여기서는 십의 자리부터 계산하는 머리셈을 이용하여 두 자리 수의 덧셈을 익힙니다.

머리셈이 빨라지면 일의 자리부터 계산하는 방법보다 훨씬 빠르고 정확한 수셈 능력으로 발전할 수 있으므로 다음과 같은 순서로 지도해 주세요.

$$36 + 24 \Rightarrow 36 + 24 = 6 \Rightarrow 36 + 24 = 6\,0$$

일의 자리 숫자의
합이 10인 경우

십의 자리 숫자의 합에
1을 더하여 씁니다.

일의 자리에 0을 씁니다.

P 14 ~ 15

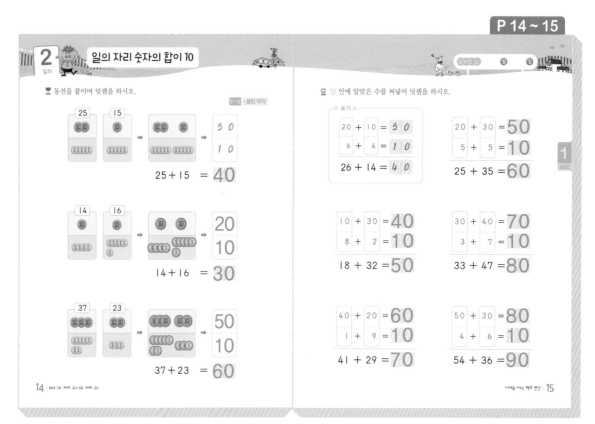

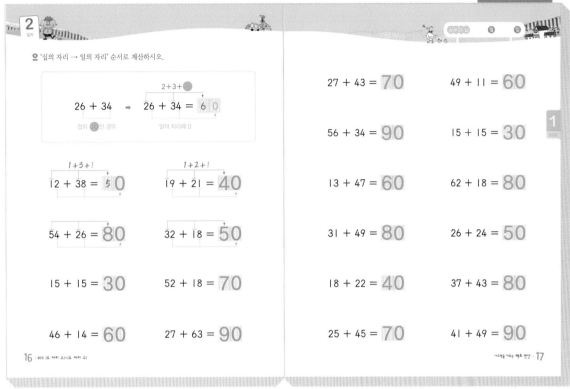

2 실차

○ '십의 자리 → 일의 자리' 순서로 계산하시오.

$$2+3+1$$

$$26 + 34 \rightarrow 26 + 34 = 60$$

합이 10인 경우   일의 자리에 0

$1+3+1$

$12 + 38 = 50$

$1+2+1$

$19 + 21 = 40$

$54 + 26 = 80$ $32 + 18 = 50$

$15 + 15 = 30$ $52 + 18 = 70$

$46 + 14 = 60$ $27 + 63 = 90$

16 · B02 (두 자리 수)+(두 자리 수)

$27 + 43 = 70$ $49 + 11 = 60$

$56 + 34 = 90$ $15 + 15 = 30$

$13 + 47 = 60$ $62 + 18 = 80$

$31 + 49 = 80$ $26 + 24 = 50$

$18 + 22 = 40$ $37 + 43 = 80$

$25 + 45 = 70$ $41 + 49 = 90$

사고력을 키우는 팩토 연산 · 17

---

2 실차

○ 덧셈을 하시오.

$12 + 18 = 30$ $47 + 23 = 70$

$26 + 34 = 60$ $28 + 12 = 40$

$67 + 13 = 80$ $55 + 35 = 90$

$34 + 16 = 50$ $49 + 41 = 90$

$13 + 17 = 30$ $35 + 25 = 60$

$45 + 25 = 70$ $24 + 56 = 80$

18 · B02 (두 자리 수)+(두 자리 수)

$11 + 29 = 40$ $25 + 15 = 40$

$56 + 14 = 70$ $48 + 12 = 60$

$18 + 42 = 60$ $54 + 26 = 80$

$32 + 48 = 80$ $27 + 13 = 40$

$34 + 36 = 70$ $45 + 35 = 80$

$49 + 41 = 90$ $23 + 27 = 50$

P 20 ~ 21

일의 자리 숫자의 합이 10보다 클 때, 받아올림이 있는 두 자리 수의 덧셈을 학습하는 과정 입니다.

받아올림이 있는 덧셈을 잘 하기 위해서는 덧셈구구에 잘 숙달되어 있어야 합니다.

2일차에 이어 3일차에서도 머리셈을 이용하여 십의 자리에서부터 받아올림을 적용하여 계 산할 수 있도록 지도해 주세요.

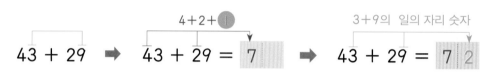

$43 + 29$

일의 자리 숫자의 합이 10보다 큰 경우

$43 + 29 = 7$

십의 자리 숫자의 합에 1을 더하여 씁니다.

$43 + 29 = 7\ 2$

일의 자리에 3+9의 계산 값의 일의 자리 숫자인 2 를 씁니다.

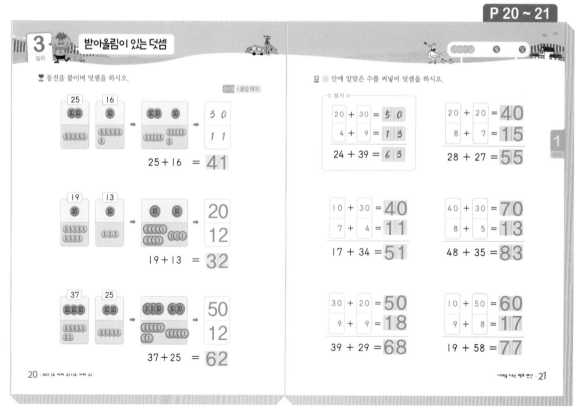

P 22 ~ 23

3 일차

○ '십의 자리 → 일의 자리' 순서로 계산하시오.

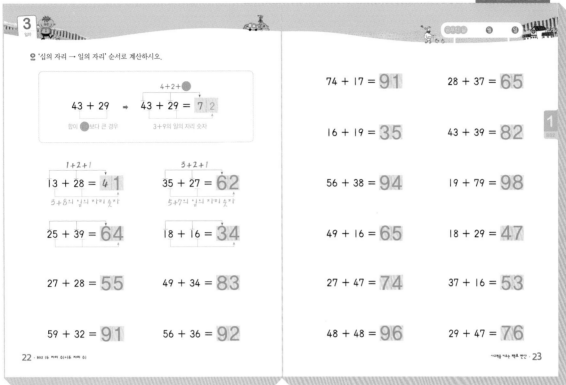

4+2+●

43 + 29   →   43 + 29 = **7** **2**

합이 ●보다 큰 경우   3+9의 일의 자리 숫자

1+2+1
13 + 28 = **4 1**
3+8의 일의 자리 숫자

3+2+1
35 + 27 = **6 2**
5+7의 일의 자리 숫자

25 + 39 = **64**   18 + 16 = **34**

27 + 28 = **55**   49 + 34 = **83**

59 + 32 = **91**   56 + 36 = **92**

74 + 17 = **91**   28 + 37 = **65**

16 + 19 = **35**   43 + 39 = **82**

56 + 38 = **94**   19 + 79 = **98**

49 + 16 = **65**   18 + 29 = **47**

27 + 47 = **74**   37 + 16 = **53**

48 + 48 = **96**   29 + 47 = **76**

P 24 ~ 25

3 일차

○ 덧셈을 하시오.

18 + 39 = **57**   47 + 16 = **63**   27 + 14 = **41**   37 + 17 = **54**

29 + 12 = **41**   76 + 18 = **94**   48 + 15 = **63**   56 + 36 = **92**

37 + 28 = **65**   28 + 39 = **67**   19 + 29 = **48**   27 + 29 = **56**

49 + 47 = **96**   35 + 57 = **92**   68 + 23 = **91**   48 + 35 = **83**

19 + 72 = **91**   26 + 29 = **55**   16 + 19 = **35**   29 + 17 = **46**

24 + 48 = **72**   49 + 38 = **87**   18 + 54 = **72**   16 + 78 = **94**

일의 자리와 십의 자리에서 받아올림이 각각 있는 두 자리 수의 덧셈을 학습하는 과정입니다.

3일차까지는 일의 자리에서만 받아올림이 있었지만 이번에는 일의 자리 뿐만 아니라 십의 자리에서도 받아올림이 있으므로, 아이들이 계산 과정에서 받아올림을 일부만 하는 등의 실수를 하기 쉽습니다.

따라서 충분한 시간을 가지고 반복 연습할 수 있도록 지도해 주세요.

① 일의 자리 숫자의 합이 10보다 작은 경우

$$4+8$$
$$43 + 86 = 129$$
$$3+6$$

② 일의 자리 숫자의 합이 10인 경우

$$4+8+1$$
$$43 + 87 = 130$$

③ 일의 자리 숫자의 합이 10보다 큰 경우

$$4+8+1$$
$$43 + 89 = 132$$
3+9의 일의 자리 숫자

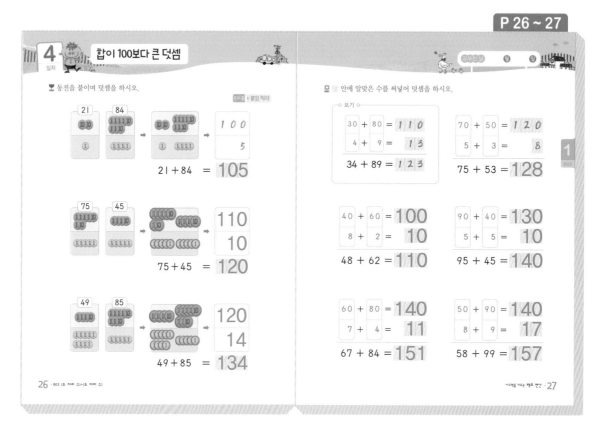

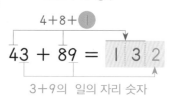

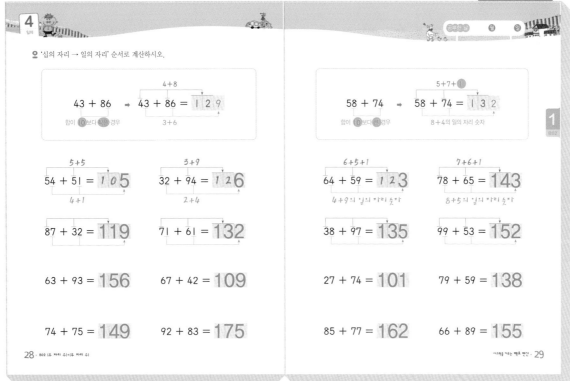

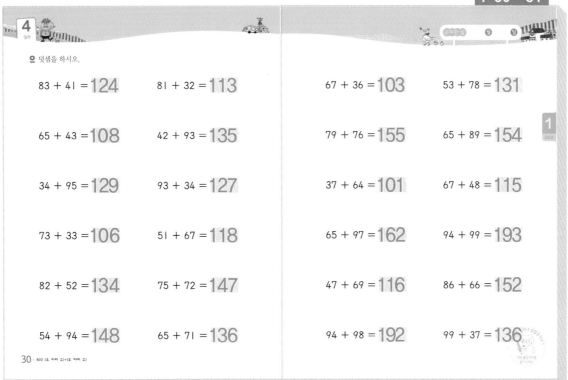

P 28 ~ 29

○ '십의 자리 → 일의 자리' 순서로 계산하시오.

4+8
$43 + 86 → 43 + 86 = 129$
합이 10보다 작은 경우   3+6

5+7+①
$58 + 74 → 58 + 74 = 132$
합이 10보다 큰 경우   8+4의 일의 자리 숫자

5+5
$54 + 51 = 105$
4+1

3+9
$32 + 94 = 126$
2+4

6+5+1
$64 + 59 = 123$
4+9의 일의 자리 숫자

7+6+1
$78 + 65 = 143$
8+5의 일의 자리 숫자

$87 + 32 = 119$

$71 + 61 = 132$

$38 + 97 = 135$

$99 + 53 = 152$

$63 + 93 = 156$

$67 + 42 = 109$

$27 + 74 = 101$

$79 + 59 = 138$

$74 + 75 = 149$

$92 + 83 = 175$

$85 + 77 = 162$

$66 + 89 = 155$

P 30 ~ 31

○ 덧셈을 하시오.

$83 + 41 = 124$

$81 + 32 = 113$

$67 + 36 = 103$

$53 + 78 = 131$

$65 + 43 = 108$

$42 + 93 = 135$

$79 + 76 = 155$

$65 + 89 = 154$

$34 + 95 = 129$

$93 + 34 = 127$

$37 + 64 = 101$

$67 + 48 = 115$

$73 + 33 = 106$

$51 + 67 = 118$

$65 + 97 = 162$

$94 + 99 = 193$

$82 + 52 = 134$

$75 + 72 = 147$

$47 + 69 = 116$

$86 + 66 = 152$

$54 + 94 = 148$

$65 + 71 = 136$

$94 + 98 = 192$

$99 + 37 = 136$

학습가이드

4일차까지 익힌 두 자리 수의 덧셈을 세로셈 형식으로 학습하는 과정입니다.

아이들이 처음 두 자리 수의 덧셈을 세로셈으로 계산할 때에는 받아올림한 수를 빠뜨리고 계산하는 경우가 있으므로 숙달될 때까지는 세로셈의 맨 위에 받아올림 한 수를 꼭 기록하도록 지도합니다.

또한 세 자리 수의 덧셈 등과 같은 큰 수의 덧셈에서는 세로셈으로 고쳐서 계산하는 것이 편리함을 느끼게 합니다.

$$
\begin{array}{r}
6\ 4 \\
+\ 5\ 9 \\
\hline
1\ 3 \quad \leftarrow 4+9 \\
1\ 1\ 0 \quad \leftarrow 60+50 \\
\hline
1\ 2\ 3
\end{array}
\quad\Rightarrow\quad
\begin{array}{r}
1 \\
6\ 4 \\
+\ 5\ 9 \\
\hline
1\ 2\ 3
\end{array}
\quad\Rightarrow\quad
\begin{array}{r}
6\ 4 \\
+\ 5\ 9 \\
\hline
1\ 2\ 3
\end{array}
$$

P 32 ~ 33

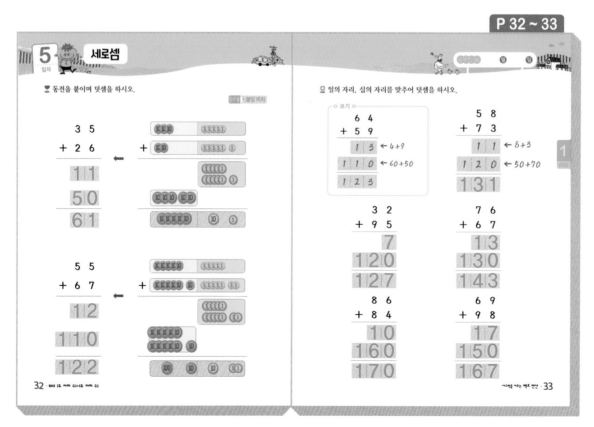

P 34 ~ 35

5 일차

○ 일의 자리, 십의 자리를 맞추어 덧셈을 하시오.

```
  3 8        3 8
+ 2 5   ➡  + 2 5
    3        6 3
```

```
  6 7        6 7
+ 8 9   ➡  + 8 9
    6      1 5 6
```

```
  4 9      3 4      1 6
+ 2 3    + 1 7    + 7 8
  7 2      5 1      9 4
```

```
  5 8      6 9      4 5
+ 6 5    + 9 4    + 8 6
1 2 3    1 6 3    1 3 1
```

```
  2 9      2 7      3 8
+ 3 9    + 2 6    + 5 4
  6 8      5 3      9 2
```

```
  6 1      5 4      9 8
+ 7 9    + 9 8    + 9 7
1 4 0    1 5 2    1 9 5
```

P 36 ~ 37

5 일차

○ 덧셈을 하시오.

```
  1 7      5 9      2 6
+ 1 9    + 1 2    + 3 5
  3 6      7 1      6 1
```

```
  5 4      9 7      6 9
+ 8 8    + 6 3    + 5 8
1 4 2    1 6 0    1 2 7
```

```
  4 5      2 4      1 8
+ 3 5    + 6 8    + 2 7
  8 0      9 2      4 5
```

```
  4 8      8 7      3 7
+ 5 3    + 6 6    + 7 8
1 0 1    1 5 3    1 1 5
```

```
  5 7      3 9      6 6
+ 2 6    + 2 9    + 1 8
  8 3      6 8      8 4
```

```
  4 4      7 6      9 9
+ 8 6    + 6 7    + 9 6
1 3 0    1 4 3    1 9 5
```

P 38 ~ 39

(두 자리 수) + (두 자리 수) **연산 실력 체크**

정답 수	/ 39개
날짜	월 일

2~4주 사고력 연산을 학습하기 전에 기본 연산 실력을 점검해 보세요.

연산 실력 체크 1 2 3

1. 24 + 13 = 37

2. 16 + 32 = 48

3. 18 + 71 = 89

4. 24 + 26 = 50

5. 31 + 49 = 80

6. 12 + 78 = 90

7. 27 + 35 = 62

8. 45 + 28 = 73

9. 15 + 16 = 31

10. 69 + 19 = 88

11. 18 + 47 = 65

12. 53 + 39 = 92

13. 83 + 21 = 104

14. 76 + 52 = 128

15. 63 + 84 = 147

16. 36 + 74 = 110

17. 95 + 55 = 150

18. 81 + 59 = 140

19. 47 + 85 = 132

20. 68 + 56 = 124

21. 93 + 48 = 141

22. 57 + 99 = 156

23. 25 + 78 = 103

24. 97 + 87 = 184

38 · B02 (두 자리 수)+(두 자리 수)

사고력을 키우는 팩토 연산 · 39

P 40 ~ 41

(두 자리 수) + (두 자리 수)

연산 실력 체크 1 2 3

25.
```
   4 3
 + 2 2
-----
  65
```

26.
```
   1 1
 + 3 4
-----
  45
```

27.
```
   3 4
 + 6 5
-----
  99
```

28.
```
   3 7
 + 4 3
-----
  80
```

29.
```
   2 9
 + 1 4
-----
  43
```

30.
```
   5 7
 + 2 7
-----
  84
```

31.
```
   7 6
 + 8 1
-----
 157
```

32.
```
   9 5
 + 3 3
-----
 128
```

33.
```
   6 7
 + 9 3
-----
 160
```

34.
```
   5 6
 + 5 4
-----
 110
```

35.
```
   8 7
 + 6 9
-----
 156
```

36.
```
   2 2
 + 7 8
-----
 100
```

37.
```
   6 7
 + 7 5
-----
 142
```

38.
```
   3 9
 + 6 9
-----
 108
```

39.
```
   9 7
 + 9 8
-----
 195
```

연산 실력 분석

오답 수에 맞게 학습을 진행하시기 바랍니다.

평가	오답 수	학습 방법
최고예요	0 ~ 2개	전반적으로 학습 내용에 대해 정확히 이해하고 있으며 매우 우수합니다. 기본 연산 문제를 자신 있게 풀 수 있는 실력을 갖추었으므로 이제는 사고력을 향상시킬 차례입니다. 2주차부터 차근차근 학습을 진행해 보세요. 학습 [2주차] → [3주차] → [4주차]
잘했어요	3 ~ 4개	기본 연산 문제를 전반적으로 잘 이해하고 풀었지만 약간의 실수가 있는 것 같습니다. 틀린 문제를 다시 한 번 풀어 보고, 문제를 차근차근 푸는 습관을 갖도록 노력해 보세요. 매스티안 홈페이지에서 제공하는 보충 학습으로 연산 실력을 향상시킨 후 2, 3, 4주차 학습을 진행해 주세요. 학습 [틀린 문제 복습] → [보충 학습] → [2주차] → …
노력해요	5개 이상	개념을 정확하게 이해하고 있지 않아 연산을 하는 데 어려움이 있습니다. 개념을 이해하고 연산 문제를 반복해서 연습을 해 보세요. 매스티안 홈페이지에서 제공하는 보충 학습이 연산 실력을 향상시키는 데 도움이 될 것입니다. 여러분도 곧 연산왕이 될 수 있습니다. 조금만 힘을 내 주세요. 학습 [1주차 원리 중심 복습] → [보충 학습] → [2주차] → …

매스티안 홈페이지: www.mathtian.com

40 · B02 (두 자리 수)+(두 자리 수)

사고력을 키우는 팩토 연산 · 41

P 44 ~ 45

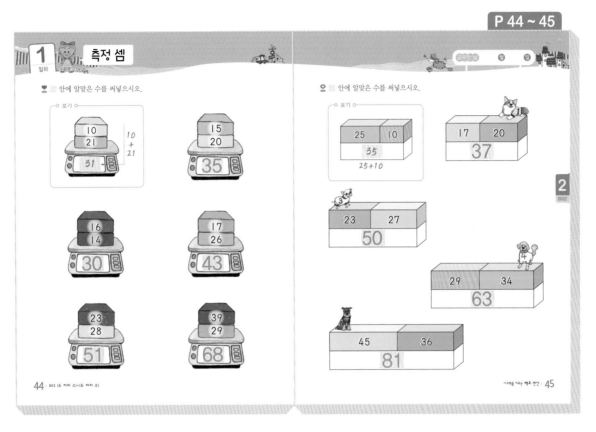

P 46 ~ 47

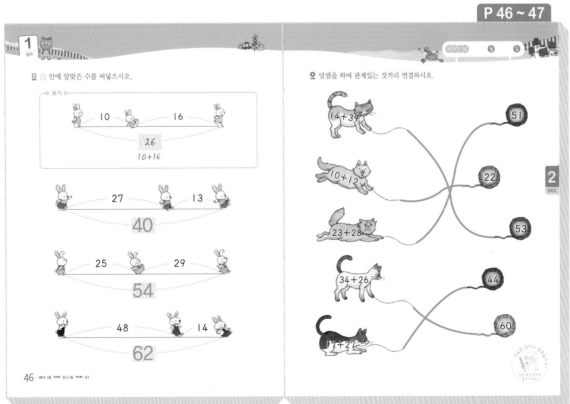

P 48 ~ 49

2 일차 올바른 식 찾기

주어진 식 중 올바른 식을 찾아 ◯표 하시오.

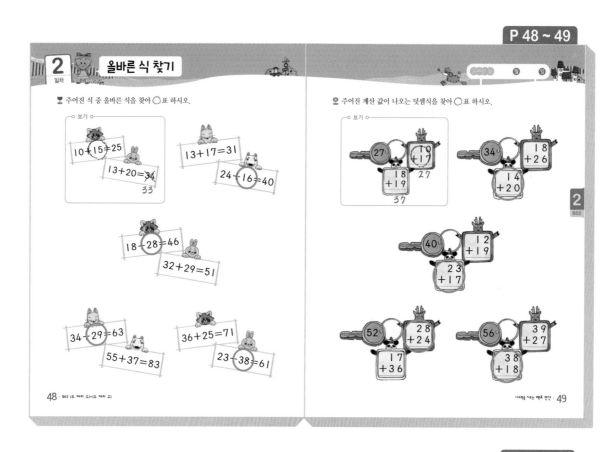

주어진 계산 값이 나오는 덧셈식을 찾아 ◯표 하시오.

P 50 ~ 51

2 일차

1개의 수를 ✕표로 지워 두 수의 합이 주어진 수가 되도록 하시오.

표에서 계산한 값의 색깔을 찾아 알맞게 색칠해 보시오.

P 52 ~ 53

3
일차
사다리 셈

❦ 사다리타기를 하여 ■ 안에 알맞은 수를 써넣으시오.

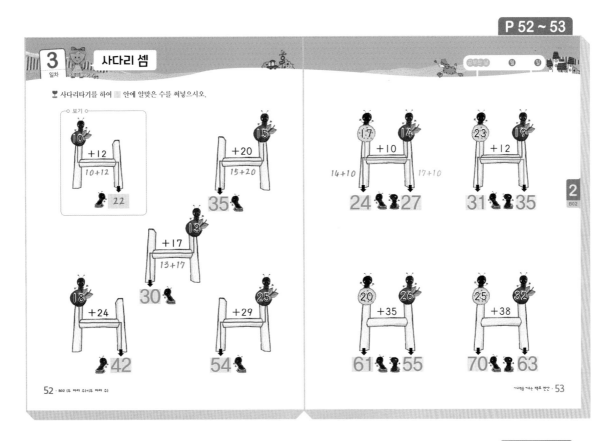

보기
10
+12
10+12
22

15
+20
15+20
35

13
+17
13+17
30

18
+24
42

25
+29
54

17 14
+10
14+10   17+10
24   27

23 19
+12
31   35

20 26
+35
61   55

25 32
+38
70   63

52 · B02 (두 자리 수)+(두 자리 수)

사고력을 키우는 팩토 연산 · 53

P 54 ~ 55

3
일차

❦ 사다리타기를 하여 ■ 안에 알맞은 수를 써넣으시오.

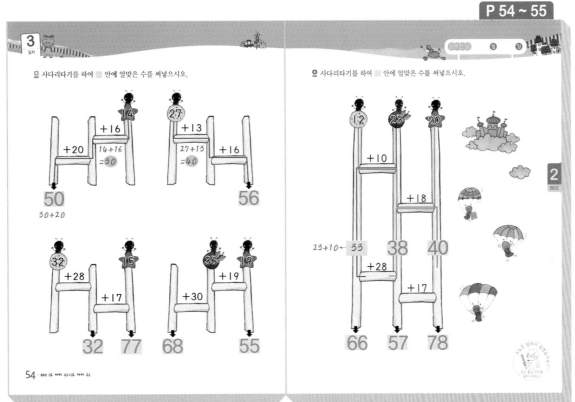

14
+16
+20   14+16
=30
50
30+20

27
+13
27+13
=40   +16
56

32
+28
+17
32   77

15

36
+30   +19
68   55

19

12   23   20
+10
+18
23+10→ 33   38   40
+28
+17
66   57   78

❦ 사다리타기를 하여 ■ 안에 알맞은 수를 써넣으시오.

54 · B02 (두 자리 수)+(두 자리 수)

사고력을 키우는 팩토 연산 · 123

2주 4일차 규칙 셈

P 56 ~ 57

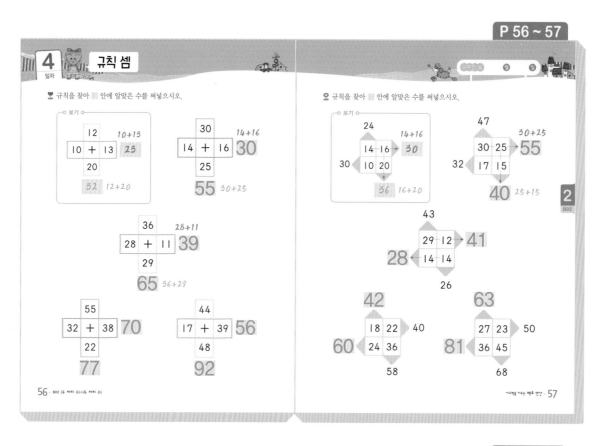

P 58 ~ 59

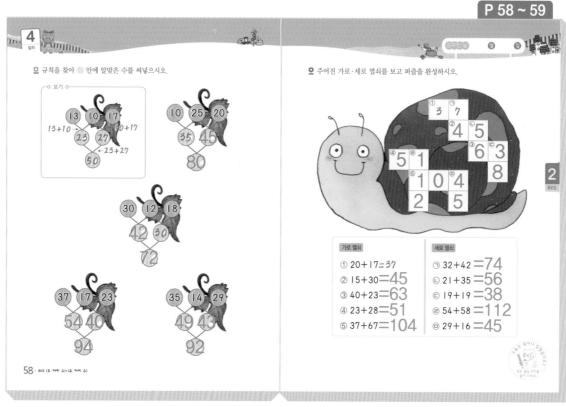

가로 열쇠

① 20+17=37
② 15+30=45
③ 40+23=63
④ 23+28=51
⑤ 37+67=104

세로 열쇠

㉠ 32+42=74
㉡ 21+35=56
㉢ 19+19=38
㉣ 54+58=112
㉤ 29+16=45

124 · B02 (두 자리 수)+(두 자리 수)

P 60 ~ 61

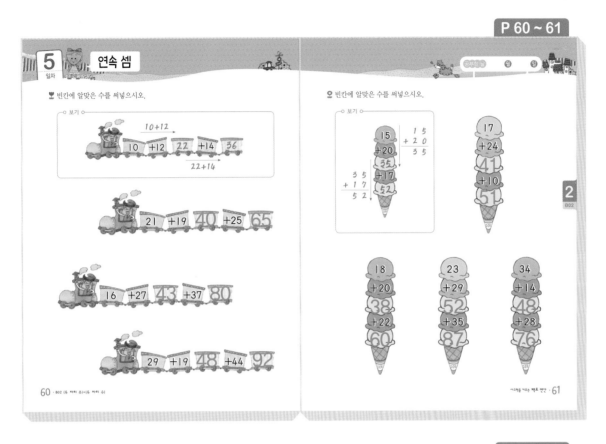

P 62 ~ 63

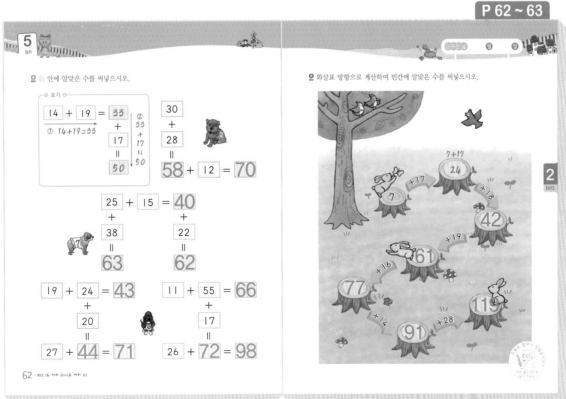

P 66 ~ 67

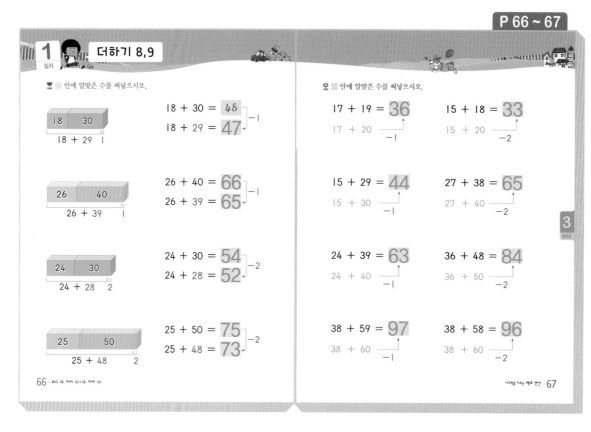

1일차 더하기 8,9

☕ ■ 안에 알맞은 수를 써넣으시오.

$18 + 30 = 48$
$18 + 29 = 47$ ⟵ -1

$26 + 40 = 66$
$26 + 39 = 65$ ⟵ -1

$24 + 30 = 54$
$24 + 28 = 52$ ⟵ -2

$25 + 50 = 75$
$25 + 48 = 73$ ⟵ -2

66 · B02 (두 자리 수)+(두 자리 수)

☕ ■ 안에 알맞은 수를 써넣으시오.

$17 + 19 = 36$
$17 + 20$ → -1

$15 + 18 = 33$
$15 + 20$ → -2

$15 + 29 = 44$
$15 + 30$ → -1

$27 + 38 = 65$
$27 + 40$ → -2

$24 + 39 = 63$
$24 + 40$ → -1

$36 + 48 = 84$
$36 + 50$ → -2

$38 + 59 = 97$
$38 + 60$ → -1

$38 + 58 = 96$
$38 + 60$ → -2

사고력을 키우는 팩토 연산 · 67

P 68 ~ 69

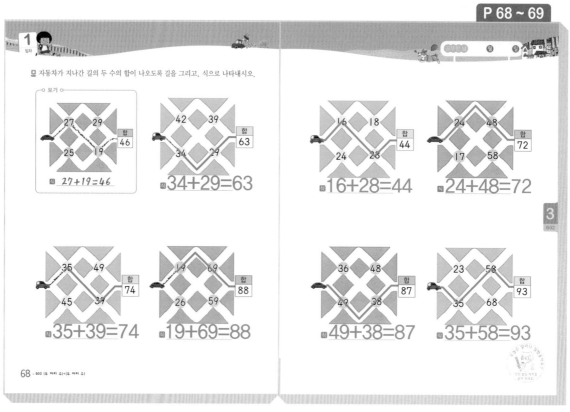

1일차

🚗 자동차가 지나간 길의 두 수의 합이 나오도록 길을 그리고, 식으로 나타내시오.

보기
27 29
25 19   합 46
식 27+19=46

42 39
34 29   합 63
식 34+29=63

16 18
24 28   합 44
식 16+28=44

24 48
17 58   합 72
식 24+48=72

35 49
45 39   합 74
식 35+39=74

19 69
26 59   합 88
식 19+69=88

36 48
49 38   합 87
식 49+38=87

23 58
35 68   합 93
식 35+58=93

68 · B02 (두 자리 수)+(두 자리 수)

P 70 ~ 71

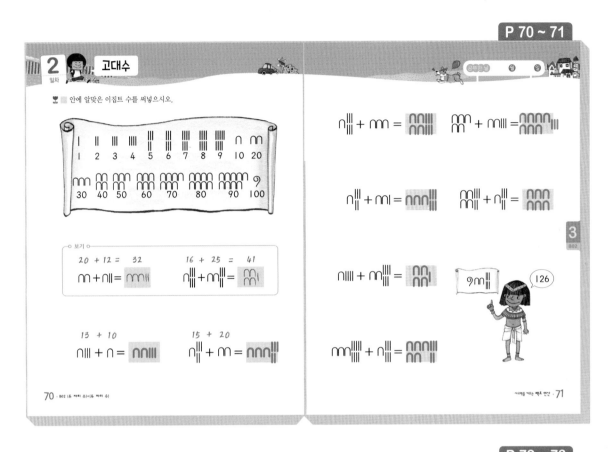

P 72 ~ 73

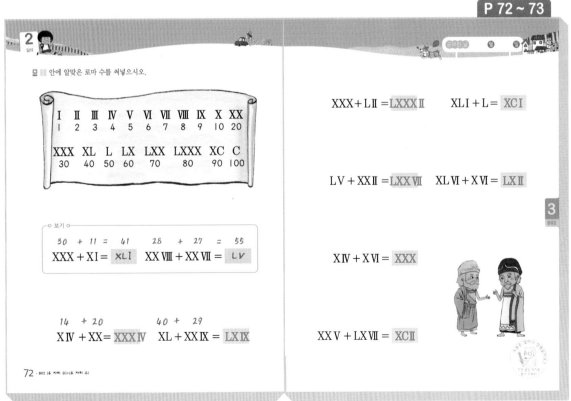

P 74 ~ 75

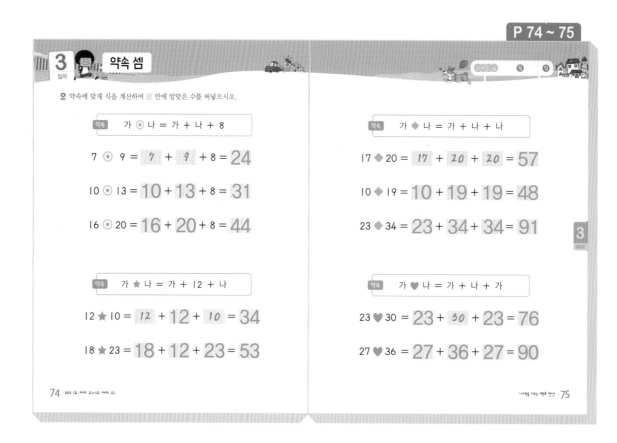

3 일차 약속 셈

약속에 맞게 식을 계산하여 ▨ 안에 알맞은 수를 써넣으시오.

약속 가 ⊙ 나 = 가 + 나 + 8

$7 ⊙ 9 = 7 + 9 + 8 = 24$

$10 ⊙ 13 = 10 + 13 + 8 = 31$

$16 ⊙ 20 = 16 + 20 + 8 = 44$

약속 가 ★ 나 = 가 + 12 + 나

$12 ★ 10 = 12 + 12 + 10 = 34$

$18 ★ 23 = 18 + 12 + 23 = 53$

약속 가 ◆ 나 = 가 + 나 + 나

$17 ◆ 20 = 17 + 20 + 20 = 57$

$10 ◆ 19 = 10 + 19 + 19 = 48$

$23 ◆ 34 = 23 + 34 + 34 = 91$

약속 가 ♥ 나 = 가 + 나 + 가

$23 ♥ 30 = 23 + 30 + 23 = 76$

$27 ♥ 36 = 27 + 36 + 27 = 90$

74 · B02 (두 자리 수)+(두 자리 수)

사고력을 키우는 팩토 연산 · 75

P 76 ~ 77

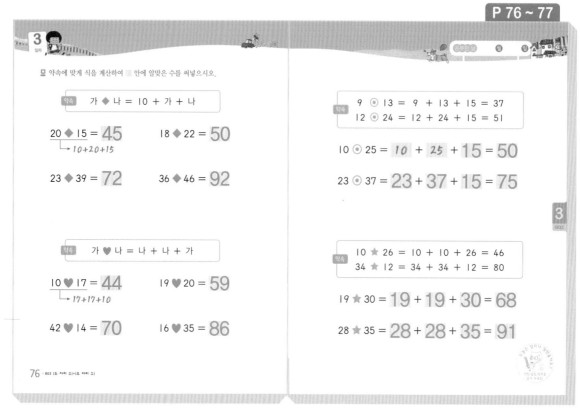

3 일차

약속에 맞게 식을 계산하여 ▨ 안에 알맞은 수를 써넣으시오.

약속 가 ◆ 나 = 10 + 가 + 나

$20 ◆ 15 = 45$
　　└→ 10+20+15

$18 ◆ 22 = 50$

$23 ◆ 39 = 72$

$36 ◆ 46 = 92$

약속 가 ♥ 나 = 나 + 나 + 가

$10 ♥ 17 = 44$
　　└→ 17+17+10

$19 ♥ 20 = 59$

$42 ♥ 14 = 70$

$16 ♥ 35 = 86$

약속 $9 ⊙ 13 = 9 + 13 + 15 = 37$
　　　$12 ⊙ 24 = 12 + 24 + 15 = 51$

$10 ⊙ 25 = 10 + 25 + 15 = 50$

$23 ⊙ 37 = 23 + 37 + 15 = 75$

약속 $10 ★ 26 = 10 + 10 + 26 = 46$
　　　$34 ★ 12 = 34 + 34 + 12 = 80$

$19 ★ 30 = 19 + 19 + 30 = 68$

$28 ★ 35 = 28 + 28 + 35 = 91$

76 · B02 (두 자리 수)+(두 자리 수)

P 78 ~ 79

4일차 퍼즐 연산

각 줄의 수의 합이 오른쪽과 아래쪽의 수가 되도록 ○ 안에 알맞은 수를 써 넣으시오.

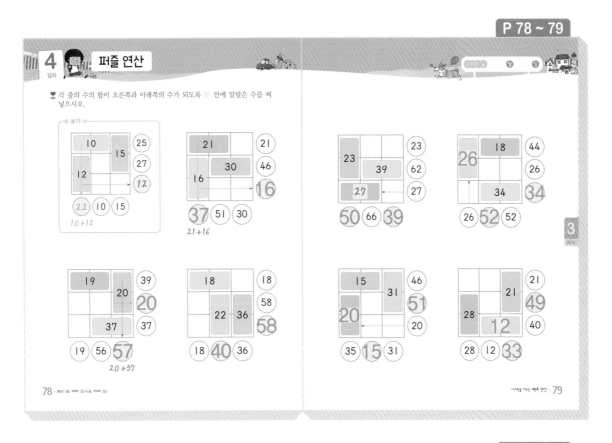

P 80 ~ 81

4일차

각 줄의 수의 합이 오른쪽과 아래쪽의 수가 되도록 수 막대 2개를 넣어 보시오.

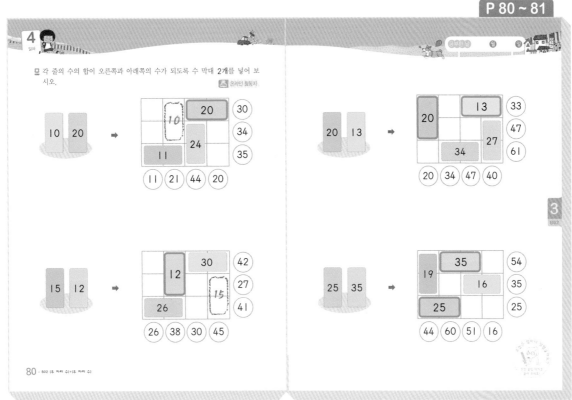

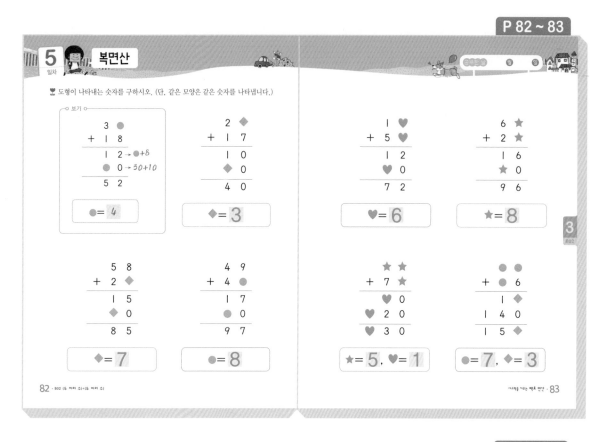

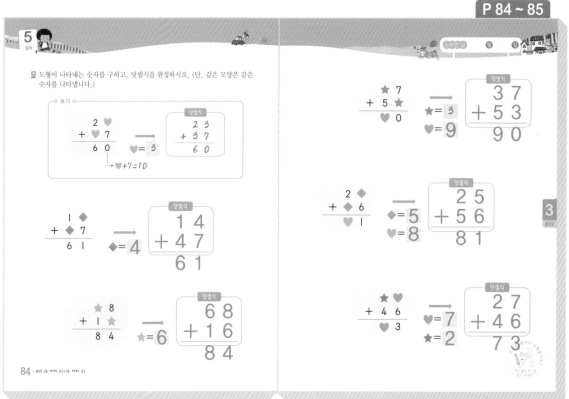

P 88 ~ 89

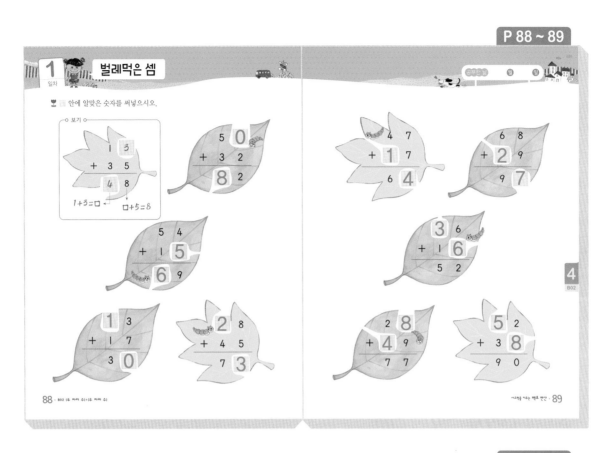

P 90 ~ 91

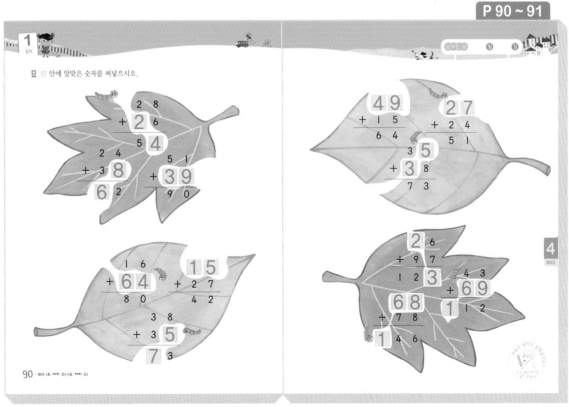

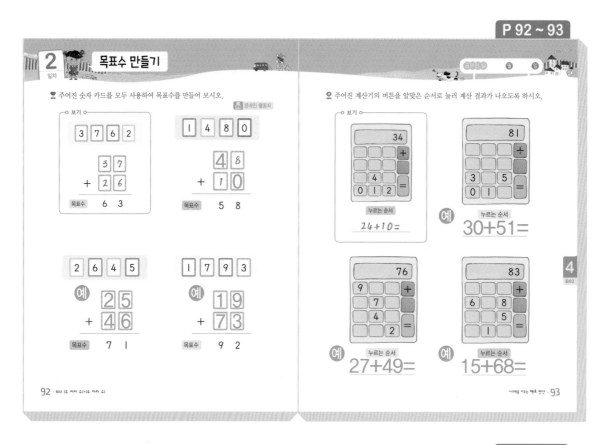

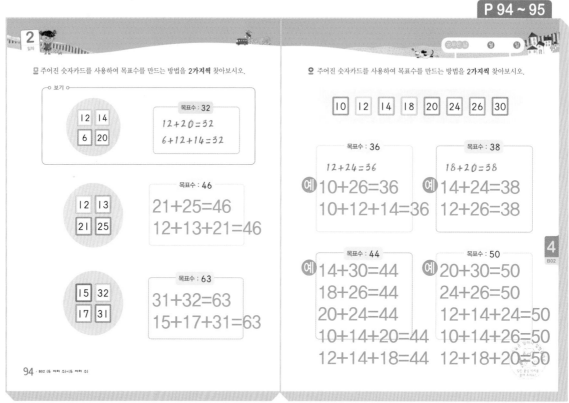

P 96 ~ 97

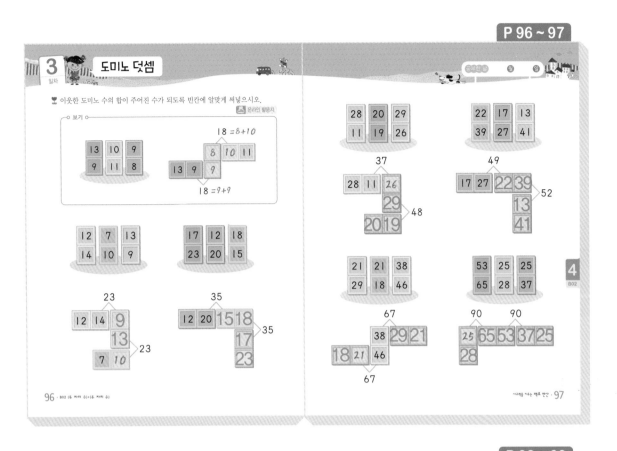

P 98 ~ 99

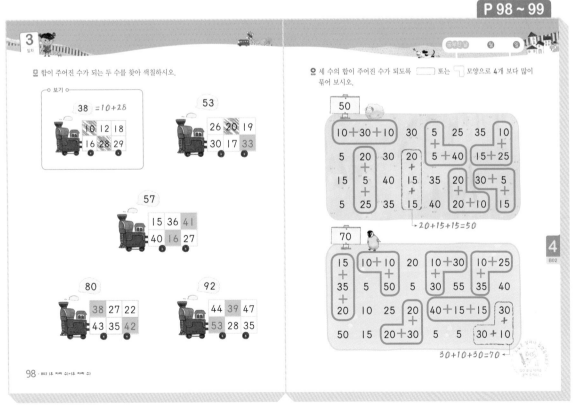

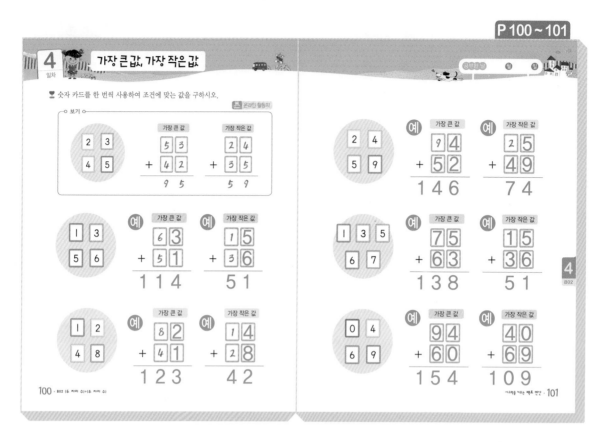

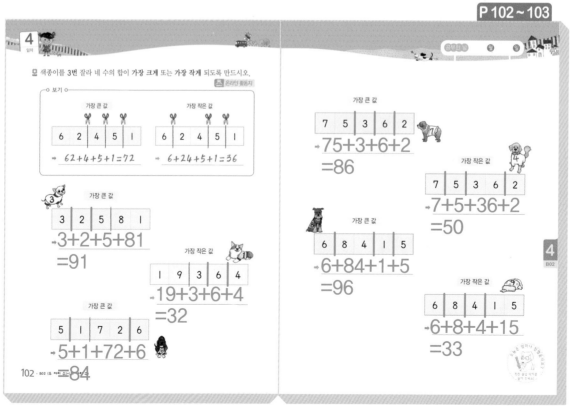

P 104~105

올바른 덧셈식이 되도록 필요 없는 수를 ✕표로 지우고, 바르게 고쳐 쓰시오.

숫자 카드를 모두 사용하여 덧셈식을 완성하시오.

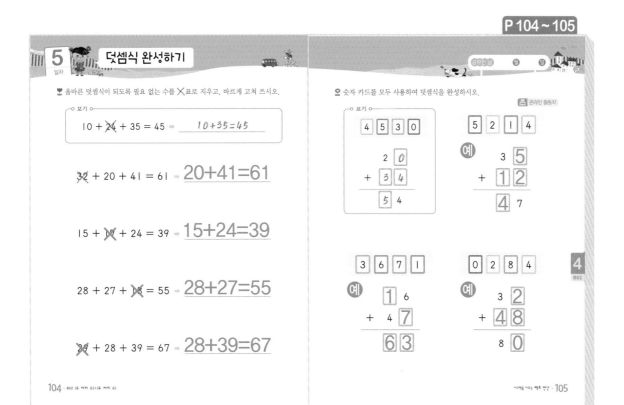

보기
10 + 2̶4̶ + 35 = 45 → 10+35=45

3̶2̶ + 20 + 41 = 61 → 20+41=61

15 + 1̶X̶ + 24 = 39 → 15+24=39

28 + 27 + 5̶X̶ = 55 → 28+27=55

2̶4̶ + 28 + 39 = 67 → 28+39=67

104 · B02 (두 자리 수)+(두 자리 수)

사고력을 키우는 팩토 연산 · 105

P 106~107

올바른 식이 되도록 ▨ 카드와 바꾸어야 하는 카드 1장을 찾아 색칠하시오.

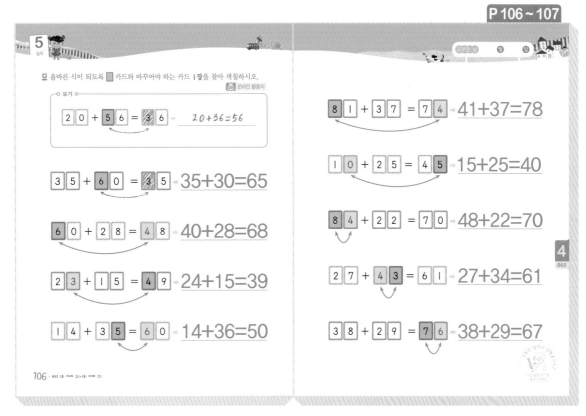

보기
2 0 + 5 6 = 3 6 → 20+36=56

3 5 + 6 0 = 3 5 → 35+30=65

6 0 + 2 8 = 4 8 → 40+28=68

2 3 + 1 5 = 4 9 → 24+15=39

1 4 + 3 5 = 6 0 → 14+36=50

8 1 + 3 7 = 7 4 → 41+37=78

1 0 + 2 5 = 4 5 → 15+25=40

8 4 + 2 2 = 7 0 → 48+22=70

2 7 + 4 3 = 6 1 → 27+34=61

3 8 + 2 9 = 7 6 → 38+29=67

106 · B02 (두 자리 수)+(두 자리 수)

사고력을 키우는 **팩토 연산** · 135

memo

상 장

이 름 : _____

위 어린이는 **팩토 연산 B02권**을
창의적인 생각과 노력으로 성실히
잘 풀었으므로 이 상장을 드립니다.

20 년 월 일

매 스 티 안